# Nouvelles contemporaines

## Regards sur le monde

## Delphine de Vigan

Delphine de Vigan est née à Boulogne-Billancourt en 1966. Elle est l'auteur de six romans pour adultes, dont *No et moi* qui a reçu le Prix des libraires en 2007, et *Rien ne s'oppose à la nuit* qui a reçu le Prix Fnac 2011, le Prix France Télévision 2011, le Prix Renaudot des lycéens 2011, le Grand prix des lectrices de Elle 2012, et le Grand prix des lycéennes de Elle 2012.

## Timothée de Fombelle

Timothée de Fombelle est né en 1973. Il a d'abord été professeur de lettres avant de devenir écrivain et dramaturge. Il a publié *Tobie Lolness* et *Vango* (Éditions Gallimard) et reçu une vingtaine de prix français et internationaux

## Caroline Vermalle

Née en 1973 dans l'Oise, Caroline Vermalle est diplômée de l'École Supérieure d'Études Cinématographiques. Après avoir été productrice associée pour la BBC, elle publie à trente cinq ans son premier roman *L'avant-dernière chance* ( Éditions Calmann-Lévy) qui a reçu le Prix Chronos 2010.

Delphine de Vigan
Timothée de Fombelle
Caroline Vermalle

# Nouvelles contemporaines

## Regards sur le monde

Les nouvelles de Timothée de Fombelle
ont initialement paru dans la revue *Messages*.

# DELPHINE DE VIGAN

# Comptes de Noël

Une nuit de Noël, papa est parti. Je crois qu'il a laissé un mot. Il n'a rien emporté. Le lendemain maman a dit qu'il était sans doute à l'autre bout du monde. J'ai regardé dans un livre. De l'autre côté, c'est l'Australie. À 20 000 kilomètres. 12 730 si on passe par le centre de la terre. L'année dernière, papa nous a envoyé une carte postale d'Indonésie. J'ai repris l'atlas pour évaluer la distance qu'il avait parcourue, et celle qu'il lui restait pour nous retrouver. Je sais résoudre les équations à trois inconnues, multiplier avec plusieurs chiffres (avant et après la virgule), diviser le plus petit par le plus grand, je sais calculer le cosinus d'un angle, la longueur de l'hypoténuse, je connais les nombres relatifs, les racines carrées, la propriété de Thalès, le théorème de Pythagore, j'apprends ça dans les livres de Mathilde quand je m'ennuie. Mathilde c'est ma sœur. Elle n'aime pas ça, que je regarde dans ses livres, alors je les cache sous mes draps, avant qu'on éteigne la lumière. Dans le noir je ne bouge plus d'un millimètre, je guette la régularité de son souffle, j'attends quelques minutes et puis j'attrape la lampe de poche glissée sous mon oreiller. Mathilde quand elle se fâche elle m'appelle Madame Super Q.I., avec un ton qui vient de très haut, elle jette mes baskets à travers la chambre, et puis ma collection de cailloux pointus, et puis mon cahier où j'écris les chiffres que je préfère et aussi mes secrets. À cause de moi elle s'est fait coller plusieurs fois, parce que parfois j'oublie de remettre son livre de maths dans son sac. Quand elle est en colère elle dit qu'elle en a marre-mais-marre-mais-marre-mais-marre de moi, et puis après elle me demande pardon, parce qu'elle sait que mes yeux je ne les ai pas choisis, ces yeux qui me mangent le visage, et qui engloutissent tout, et que je donnerais tous les livres pour être comme les autres, dans cette innocence, que je donnerais tous les livres pour croire encore au père Noël.

Maman elle dit que je sais trop de choses. Et puis que c'est dangereux de grandir trop vite, parce qu'après le cerveau prend toute la place. Mme Vedel m'a fait faire des tests mais maman a refusé que je saute une deuxième classe. Moi ça m'est égal. Ici ou ailleurs, la vue est la même. Je regarde par la fenêtre, les arbres nus, la grande cour quand elle est vide, les lignes blanches du terrain de basket, quelques papiers froissés qui traînent et la lumière blanche de l'hiver. Dans la rue, je m'arrête devant les vitrines illuminées, j'observe la buée qui sort de ma bouche, je cherche autour de moi quelque chose qui échapperait à la connaissance, à la mémoire, quelque chose qui ne se calculerait pas, ne se formulerait pas, ne s'expliquerait pas. Mme Vedel nous demande d'apprendre par cœur des poésies ou bien des règles de grammaire ou bien des tables de multiplication mais moi je sais qu'on apprend avec la tête et pas avec le cœur.

Et mon cœur parfois je me demande si je ne l'ai pas perdu, s'il reste une petite place, à l'intérieur de moi, avec tous ces chiffres, exponentiels. Parfois mon cœur j'ai peur qu'il n'en reste plus, ou alors un tout petit, rabougri, sec.

La souris blanche de Mathilde s'appelle Pocus et la mienne Balthazar. Balthazar je sais qu'il s'ennuie tout seul dans sa cage, alors parfois quand maman et Mathilde ne sont pas là, je les mets ensemble, pour qu'ils discutent. Je trouve ça trop triste, d'être tout le temps tout seul. Nous, même si on est triste que papa soit parti, ce n'est pas pareil, parce que Mathilde quand elle rentre elle met des disques, et on danse toutes les deux devant le miroir de sa chambre, et puis on fait des farces au téléphone et plein de potions magiques à base de Nesquick. Et puis maman le soir elle a toujours des tas d'histoires de son travail à nous raconter, ou alors des histoires de quand elle était petite et qu'elle faisait exploser des pétards dans les bouses de vache.

Je ne crois pas que Balthazar soit de sexe masculin. Contrairement à ce que nous avait dit le marchand.

Ce soir, c'est Noël et Balthazar a accouché de neuf larves roses et lisses. Maman n'est pas encore rentrée, elle a téléphoné pour dire qu'elle avait quelques courses à faire pour le réveillon. Avec Mathilde on avait prévu de lui faire une surprise. On a rangé notre chambre, passé l'aspirateur, on a mis la table, on est allées chercher la nappe blanche damassée qui vient de chez Mamie Dou, et les serviettes en tissu qui sont assorties, on a fermé les rideaux pour que le salon paraisse plus chaleureux, comme à l'intérieur d'une coquille, avec la guirlande lumineuse qui clignote sur le sapin. On a préparé plein de cadeaux emballés dans du papier crépon. Mathilde est descendue au bazar pour acheter des bougies dorées, je suis entrée dans la chambre pour enfiler ma jupe rose, celle qui vient de Marion, la fille de la voisine. (Marion, elle est trop belle, elle a toujours de beaux habits, des jupes longues et des pulls de toutes les couleurs, et quand ils ne lui vont plus, elle me les donne.) Dans le silence j'ai entendu des petits cris, vraiment tout petits, à peine audibles, des cris minuscules qui venaient de la cage de Balthazar. J'ai soulevé le coton hydrophile, et j'ai découvert, collées contre son ventre, neuf boules roses, sans poil. On distingue juste des petits points noirs, ce doit être leurs yeux. J'ai compté. Neuf. Ça m'a paru beaucoup. Je veux dire pour une seule souris. C'est vrai que j'avais remarqué que Balthazar avait un peu grossi, ces derniers temps, mais maman elle dit que c'est normal de grossir un peu l'hiver, d'ailleurs elle c'est pareil. J'ai attrapé l'encyclopédie des mammifères que Mamie Dou m'a offerte, à Noël dernier, mais je n'ai pas eu le temps de l'ouvrir. J'ai entendu la clé de Mathilde dans la serrure. Et alors, là, d'un seul coup, j'ai compris que j'avais fait une grosse bêtise et que par conséquent j'étais dans une situation très délicate. Je ne pense pas que maman ait mentionné neuf souris dans sa liste de Noël. Je ne pense pas que cela puisse faire partie des surprises au même titre que le crocodile en perles que je lui ai fabriqué. J'ai imaginé l'engueulade de maman. Parce que maman, quand elle se fâche, c'est pour de vrai. Surtout quand elle est fatiguée ou qu'il y a grève dans le métro, ou quand sa chef Nicole lui a demandé des tas de trucs toute la journée et qu'elle en a plein les jambes.

À peine entrée dans ma chambre, Mathilde s'est arrêtée net. La cage était ouverte, elle a vu tout de suite. Elle m'a jeté un œil noir, mais alors là vraiment très noir.

— Elsa, tu les as mis ensemble ?

— Un tout petit peu.

Mathilde elle est au collège, elle a l'esprit très pragmatique. Elle s'est précipitée sur le téléphone pour appeler sa copine Cécile qui s'y connaît vraiment beaucoup en souris parce que son père tient une animalerie sur les quais. Cécile a dit qu'il n'y avait pas trente-six solutions. Il faut prendre du coton et l'imbiber avec de l'éther ou bien de l'eau de Javel ou bien du dissolvant et mettre les bébés dedans. Ils s'endorment et ne se réveillent jamais. Mathilde elle est très pragmatique mais elle pleure pour un oui ou pour un non quand on regarde des dessins animés ou des séries à la télé, maman dit qu'elle est trop sensible pour son âge. Elle s'est retournée vers moi et j'ai compris. Elle s'est dirigée vers la salle de bains, je l'ai entendue ouvrir et refermer les placards, elle est revenue avec un paquet de coton et une bouteille à la main qu'elle m'a tendus avec un air qui dissuadait toute forme de contestation. Je sais que dans la vie il faut assumer les choses qu'on fait surtout quand ce sont des bêtises. Mme Vedel elle dit que ce n'est pas le tout de s'excuser ou de demander pardon, il faut essayer de réparer. Je ne vois pas très bien comment on peut réparer neuf minuscules souris qui sont sorties du ventre de Balthazar. Je ne vois pas très bien non plus comment je pourrais tuer neuf minuscules souris le soir de Noël avant que maman rentre. Noël qui est la fête de la naissance de Jésus, qu'on y croie ou non. Noël qui est la fête de la paix et de l'amour, c'est Mme Vedel qui nous l'a dit. (Sans parler de Balthazar qui porte le nom de l'un des rois Mages.) Mathilde m'a laissée toute seule dans la chambre, pour faire le sale travail. Elle a refermé la porte derrière elle. Le téléphone a sonné, c'était encore maman. À travers la porte Mathilde m'a crié : elle est là dans dix minutes. J'ai ouvert l'encyclopédie des mammifères. La souris est un rongeur (muridés) voisin du rat. Elle a une espérance de vie moyenne de deux ans et sa gestation varie entre dix-huit et vingt et un jours. En une année, une souris peut avoir huit portées de cinq à dix petits.

Au dos de la carte, papa avait mis son adresse. On n'a jamais écrit.

Une fois maman avait dit à Mamie Dou que papa était parti parce qu'il ne supportait pas la promiscuité (j'avais regardé dans le dictionnaire, je le fais souvent pour apprendre des nouveaux mots).

Je suis sortie de la chambre, j'avais l'air affligé, j'en suis sûre, parce que j'aime bien ce mot, affligé, c'est comme consterné, on sent tout de suite quelque chose de grave, quand on les dit. J'ai jeté un gros paquet de coton dans le vide-ordures. J'ai pris le liquide vaisselle pour me laver les mains, j'avais l'air de quelqu'un qui vient de commettre l'irréparable, ça j'en suis sûre, j'ai serré la mâchoire de toutes mes forces, comme dans les films, Mathilde me regardait. Elle n'a pas posé de questions. J'ai entendu le bruit de l'ascenseur.

Quand maman est rentrée elle était belle et parfumée, elle avait mis ses talons qui sont très hauts et son grand manteau noir avec de la fourrure au col, on dirait une princesse russe. Je suis sûre qu'elle a un amoureux ou un soupirant, parce que souvent quand le téléphone sonne elle prend sa voix très douce et elle dit : « Je te rappelle quand les filles seront couchées. » Ça fait sept cent trente jours que papa est parti.

Pour le réveillon, on a mangé des tartines avec des œufs de lump dessus (j'ai essayé de les compter mais maman n'a pas voulu), des feuilletés aux fruits de mer et de la salade de plusieurs couleurs, et pour le dessert maman avait acheté des glaces à nos parfums préférés.

Après le dîner j'ai annoncé solennellement que j'allais écrire une carte à papa, parce que j'ai lu dans un livre que pour Noël il faut faire une trêve, même quand c'est la guerre.

*Cher papa,*

*J'espère que tu vas bien. Nous ici c'est Noël et il va peut-être neiger cette nuit. Si jamais tu veux revenir, je te préviens qu'il y a eu quelques changements qui risquent de t'étonner si tu n'aimes pas tellement la promiscuité. Ce soir nous sommes quatorze à la maison (je ne compte pas le soupirant de maman, il n'est pas encore venu). D'après mes calculs, nous serons environ vingt-trois mille quatre cent trente l'an prochain. Et à peu près quarante millions l'année d'encore après.*

*Je croyais que j'avais un cœur tout racorni, à cause des calculs qui se font dans ma tête. Mais en fait j'ai un cœur qui est vraiment gigantesque. Plus gros que la plus vertigineuse des multiplications.*

*Je n'ai pas pu tuer les souris.*

*Je t'embrasse.*

ELSA

# TIMOTHÉE DE FOMBELLE

# Un parfum de rose et de sapin sec

Quand May refermait sa main sur le faisceau de la lampe de poche, son poing serré s'illuminait comme une maison entourée de neige. Elle restait sous les draps à regarder cette boule de lumière rouge. Et puis elle se mettait au travail sur son cahier.

Ils étaient six maintenant dans la chambre d'hôtel, depuis que son oncle était arrivé. Les deux petits dormaient dans un lit, les parents dans un autre, et l'oncle devant la fenêtre, par terre. May était installée sous la table. Elle avait dû laisser le coin de la fenêtre à son oncle après avoir bataillé pour le garder.

— Il ne faut pas être égoïste, avait expliqué sa mère.

Et May se disait qu'elle devait être très forte pour réussir à être égoïste en partageant à cinq un lavabo et treize mètres carrés depuis un an et demi.

Elle avait donc renoncé à la lumière clignotante du lampadaire qu'on apercevait sous le rideau et qu'elle aimait tant regarder dans la nuit.

May ne connaissait pas cet oncle qui venait de très loin. Elle l'avait détesté pendant plusieurs jours, et puis il lui avait offert un cahier et une lampe de poche. Comme elle tenait à son mauvais caractère, elle avait d'abord refusé.

— On m'achète pas.

L'oncle les avait posés sur le matelas de May.

Le lendemain, au milieu de la nuit, elle s'était mise au travail.

Sous son drap, à la lueur de la lampe, May dessinait. Elle dessinait une maison. C'était une maison avec trois chambres. Une pour les parents, une pour les enfants et une pour les amis.

Il y avait un salon, une cuisine et une salle de bains. Il n'y avait pas de numéro sur la porte. Pas de moquette râpeuse. Il y avait des recoins d'où on ne voyait pas les autres. Un parquet en bois, une sonnerie à l'entrée. Il y avait un couloir où on avait le droit de jouer.

May s'était promis d'avoir fini cette maison pour Noël. Elle savait que ses parents seraient contents d'y entrer avec elle. Les deux petits sauteraient au cou de leur sœur en passant la porte. Même l'oncle allait avoir sa chambre, en attendant qu'il s'en aille.

Le travail n'avançait pas vite. Elle avait eu du mal à dessiner la cuisine et le frigo. La famille ne possédait pas de frigo depuis des années. On suspendait des sacs à la fenêtre, dehors. En été, quand il faisait chaud, May détestait aller demander à la dame de l'hôtel si elle pouvait mettre quelques yaourts dans le sien. La dame était gentille, pourtant May se sentait comme une mendiante.

Elle hésitait aussi sur l'emplacement des chambres. Un soir de dispute avec ses petits frères, elle s'était dessinée une chambre pour elle toute seule à l'étage. Elle l'avait aussitôt effacée avec la gomme de son crayon pour qu'on ne la traite pas d'égoïste.

La nuit de Noël, enfin, May travailla très tard. Son cœur battait fort. Elle avait vite dessiné les derniers détails : un bouquet de roses sur la table, un sapin dans l'entrée, deux cadeaux pour les petits.

Elle s'endormit brutalement et sa lampe resta allumée dans son poing étincelant.

Le matin, May s'éveilla avant tout le monde. Il faisait froid. Elle n'osait pas ouvrir les yeux. Elle cherchait à reconnaître les bruits extérieurs. Elle respirait à peine.

Alors, des larmes surgirent de ses yeux fermés. May venait de sentir une odeur extraordinaire, un parfum de rose et de sapin sec.

# J'ai attendu

Des vêtements sur une chaise au bout du lit. Un cartable posé par terre, bourré de cahiers neufs et de crayons bien taillés. La pluie se mouche sur le carreau. J'ouvre les yeux. Mon cœur s'accélère. C'est le grand jour.

Je sens l'odeur du pain grillé. Mes frères s'habillent déjà, à côté. Mon père écoute la radio.

Hier, aujourd'hui, ici et ailleurs, c'est peut-être le souvenir le mieux partagé : la rentrée, avec cet amer mélange d'anxiété, de larmes retenues, la fierté des nouvelles chaussures, l'excitation des retrouvailles, et ce léger vertige de l'interminable année qui s'ouvre.

J'ai pu observer le quotidien d'une école flottante sur la baie d'Halong. Là-bas aussi, ce matin, il y a peut-être au fil de l'eau la petite douleur au ventre des premiers jours de classe.

Dans ces deux ou trois heures d'un matin mouillé de septembre, toute la vie est déjà là : quitter les siens, en rencontrer d'autres, grandir, franchir des caps, faire des pas dans l'inconnu, créer tout seul du familier à partir de ce qui ne l'était pas, accepter la loi, se résoudre à ne pas tout choisir, partir seul… Oui, en vidant devant moi, comme un écolier sur le pupitre, cette trousse mystérieuse de la rentrée des classes, je réalise qu'on y retrouve en condensé toute l'aventure humaine. Il n'y a rien de jauni dans ces clichés de la rentrée, rien de nostalgique, il y a seulement le saut périlleux de l'existence.

J'ai trente-quatre ans mais j'ai l'impression de n'avoir jamais quitté l'école. À vingt-cinq, je suis devenu prof. À trente, j'ai cru quitter l'enseignement pour écrire, et me voici déjà de retour au collège, de nombreuses fois chaque année, pour y parler de l'écriture qui est devenue mon métier. Ce retour inexorable aux bancs de l'école est une fatalité qui me plaît. Je sais que j'y cherche la densité de la vie.

Dans ma fugitive carrière de prof, une expérience m'a frappé. Après deux années d'enseignement à Hanoi, au Vietnam, je suis nommé en banlieue parisienne dans un collège très difficile. J'y entre avec l'envie de faire comprendre le privilège immense de pouvoir étudier. Mais je découvre vite que je n'aurai pas besoin d'insister : la plupart des élèves de ces zones sensibles font déjà de l'école un refuge, un sanctuaire au milieu de leur quartier.

Je l'écris ici parce que je ne l'entends jamais dire. C'est ce que j'ai observé à La Courneuve ou à Gonesse. Pour ces enfants, l'école est l'endroit où on s'alarme quand ils ne sont pas là, où on a de l'ambition pour eux, l'endroit où la loi de la jungle est tenue à distance. Étrangement, c'est aussi le lieu de l'évasion. J'ai lu sur des visages en septembre le grand soulagement de la rentrée.

Au début, je demandais aux élèves de raconter leurs vacances. Je me souviens d'une réponse qui m'a fait regretter cette habitude. J'interroge une fille de cinquième, arrivée depuis deux ans en France. Elle répond : « En juillet, j'ai préparé mon cartable... » « Et après ? » Elle baisse les yeux et murmure : « Après, j'ai attendu. »

# Il était une fois

Quand je démarre un gros projet d'écriture, j'ai l'impression d'être au chevet de ma fille de deux ans et demi, le soir, et de commencer à raconter une histoire. Elle me regarde, je prends un air mystérieux et je laisse un long silence avant le premier mot. Ce silence n'est pas qu'un procédé dramatique pour aiguiser son impatience. Il y a dans ce silence tout ce qui se presse à l'entrée de mon imaginaire. La journée qui vient de s'écouler, le chien Max qui aboie chez mon voisin, les nouvelles du monde, un ou deux soucis qui m'occupent, mon envie d'aller dîner, ou cet exemplaire de *Messages* que je viens de lire et dont je sens les pages pliées dans ma poche. Tout cela veut entrer dans mon histoire, avec souvent pas mal d'ombre ou de gravité. Mais de l'autre côté, il y a une petite fille fatiguée, sa grande nuit devant elle, et le besoin d'un peu de lumière. D'ailleurs, dans quelques minutes, elle me dira : « Tu laisses la porte un peu ouverte. D'accord ? »

Alors, je me jette à l'eau et je raconte : « Il était une fois, au bord d'un torrent majestueux, un petit royaume qui ne manquait de rien... »

Je commence donc en ce moment à écrire un livre et ce sont exactement ces questions qui me préoccupent. Divertir ou parler du monde ? Cette fois, j'avais plutôt choisi l'évasion : un grand roman d'aventures autour des années 30. Le saut dans le passé me promettait de sortir du quotidien et de l'actualité. Je voyais déjà des héros en chapeaux mous, de belles voitures, et du jazz dans la T.S.F. J'aiguisais ma plume avec excitation. Voilà que je me plonge dans la période et que je découvre bien autre chose. La crise, les inégalités... La pauvreté qui déferle sur l'Amérique et l'Europe. Ma tentative d'évasion échoue, et je m'en réjouis presque. C'est tout notre temps qui s'impose à mon projet. Dans mes livres d'histoire, je crois retrouver, par exemple, mot pour mot, le bilan sur la pauvreté publié dans ce numéro de *Messages*.

Je veux juste citer au fil de mes lectures un rapport publié en 1933, pendant la Grande Dépression américaine. Il concerne les travailleurs sociaux.

*Quand vos journaux portent en gros titre :* Les fraudes de l'assistance, *et* Les tricheurs de l'aide aux chômeurs, *ils n'invitent pas vos clients à conserver leur fierté et leur respect d'eux-mêmes. Quand vous avez avec les gens des entretiens bâclés à toute vitesse dans*

*des salles bondées, vous empêchez toute discussion libre*
*et franche.*

Ce rapport est vieux de soixante-quinze ans.

Dans les histoires que je raconte à ma fille, je vois bien qu'elle est à l'affût de ce qui se rapproche de sa vie, sans en gommer les difficultés et les épreuves. Au sein de ce royaume qui ne manque de rien, au bord du torrent majestueux, il y a souvent quelqu'un qui pleure.

La seule règle qu'elle me donne, c'est de laisser une échappée, un espoir, un trait de lumière.

« Tu laisses la porte un peu ouverte. D'accord ? »

# Un peu de lenteur

L'été durait une vie entière. Je me souviens que lorsque je quittais la ville pour partir en grandes vacances, je laissais derrière moi toute notion du temps. L'année scolaire s'était refermée. L'été devenait une sorte d'archipel sans début et sans fin. Je ne planifiais rien. Il suffisait de s'écrouler le soir avec le soleil, et de repartir le matin, à l'aventure.

Aujourd'hui, je trouve de plus en plus difficile de s'arrêter. Sans être bien vieux, je me dis parfois que ce doit être l'âge… Avec les années, la pente semble déjà forte, et les freins bien usés. Mais en cherchant les vraies raisons, je réalise que c'est plutôt la machine du temps qui s'emballe. Le rythme de la vie, des transports, des communications crée un appel d'air auquel il est difficile de résister. À la vitesse où l'on va, impossible d'apercevoir ceux qui ne sont pas dans ce mouvement, tous ceux qui avancent plus lentement. Ce ne sont que des visages flous, sur le côté.

Même la torpeur de l'été peine à nous arrêter.

Il y a deux semaines, je revenais seul en train de Sarrebruck. Longeant une autoroute, je vois un panneau annonçant Paris à 150 kilomètres. Je me jette sur mon téléphone et envoie un message chez moi. Deux mots suffisent : *J'ARRIVE*.

Je prends alors conscience qu'une diligence aurait mis deux jours pour ce reste de trajet. Avec mon train rapide, je pouvais être à Paris une demi-heure plus tard. J'allais donc me réjouir de ce progrès qui nous autorise à nous rendre en Allemagne pour la journée et à revenir aussitôt, de cette époque qui permet de compresser tant d'expériences dans si peu de temps, lorsque tout à coup j'aperçois une fumée étrange par la vitre.

Un instant plus tard, le train s'arrête.

Nous sommes en pleine campagne. Un champ de peupliers s'étend jusqu'à un petit bois. Le ciel est sombre. Quelques minutes passent. Une voix nous demande de descendre. Des échelles ont été mises devant les portières. On se disperse joyeusement dans l'herbe. Mon wagon continue de fumer.

Nous sommes restés là trois heures. C'est un souvenir inoubliable. Comment raconter la petite fille qui improvisa un air de clarinette devant les trois cents passagers, l'orage qui nous obligea à nous réfugier sous un pont, les applaudissements délirants quand un jeune Allemand traduisait les consignes des pompiers français ?

Trois heures. Trois heures à ne rien faire. Personne n'a pensé à se plaindre. On était bien. On parlait. On regardait les gens. Le train s'était arrêté dans sa course folle et la lenteur du temps reprenait sa place.

Lorsque je suis arrivé à Paris, je me suis rappelé les retours en pleine nuit après les longues vacances d'été. J'avais l'impression d'être le petit garçon endormi au fond de la voiture et qui entend, quand s'arrête le moteur de la voiture :

— On est arrivés à la maison. Réveille-toi, l'école reprend demain.

# Scène de comptoir

Il est assis sur un tabouret, une tasse de café posée devant lui. C'est un grand monsieur noir qui tient son bonnet dans la main. Quelques sacs en plastique attendent à ses pieds. On pourrait croire qu'il termine ses courses de Noël. Mais il est sept heures du matin. Malgré moi, je l'observe avec l'œil impitoyable de la curiosité et, à quelques détails, je devine qu'il a dormi dehors.

Soudain, il se lève et se dirige vers un homme et une femme accoudés au comptoir, juste à côté de moi.

— Excusez-moi de vous déranger. Est-ce que vous permettez que je vous offre votre café.

— Pardon ?

— Je serais très heureux de vous offrir vos cafés et vos croissants.

— Mais pourquoi ?

Silence.

31

— S'il vous plaît, ça me ferait plaisir.

Il tourne son bonnet dans les mains, il attend la réponse avec anxiété. L'homme et la femme se regardent, puis font un grand sourire.

— Vraiment ?

— Vraiment.

— Alors, volontiers, cher monsieur. Merci infiniment.

Regard triomphant. Le généreux donateur se retourne vers le serveur.

— Vous avez entendu ? Ils acceptent ! Je suis heureux.

Moi, je ressens comme un soulagement. Depuis que je suis entré dans ce café, c'est la troisième fois que cet homme tente d'inviter un client. Les deux premières fois n'ont pas été concluantes. Les réactions sont hostiles. Rires amusés puis agacement.

— Certainement pas ! En quel honneur ?

Et toujours ce POURQUOI inquisiteur qui veut dire : « Que me voulez-vous ? Qu'attendez-vous en échange ? » Chaque fois, l'homme n'a pas insisté. Il a rejoint son tabouret et ses sacs. Mais cette fois-ci, il plonge la main dans sa poche, en sort une quincaillerie de pièces jaunes. Le serveur est furieux. Le comportement de cet homme lui apparaît visiblement comme une perturbation. Il vient vers le couple qui a accepté l'invitation :

— Vraiment, vous le laissez faire ?

— Oui, bien sûr, nous sommes très touchés.

Hochement de tête méprisant du serveur qui encaisse la monnaie en marmonnant. J'entends juste deux mots répétés dans sa barbe : « La honte… la honte… »

De quelle honte parle-t-il ? Celle de s'abaisser à recevoir ? La générosité est-elle le privilège des riches ? Qui a le droit de donner ? Je reste dans mon coin à me poser ces questions, frappé des leçons inattendues qu'offre le quotidien.

Deux jours plus tard, en écrivant ces mots aujourd'hui, c'est une autre dimension qui m'apparaît soudainement : le don n'est pas un geste du cœur, c'est l'affirmation d'une dignité.

Quand l'homme a remis son bonnet et saisi ses sacs pour sortir dans le froid, il rayonnait.

Inutile de décrire la fureur du serveur quand il découvrit, sur le cuivre du comptoir, un insolent pourboire.

# Mon jardin inconnu

Au mois de mai, le paradis est en bas des tours, entre la voie ferrée et le terrain vague. Le paradis est contre l'autoroute. Il sent la menthe et les tomates mûres. On y entend le vent dans les feuilles du poirier. Le paradis est un carré de terre bien peigné, semé de radis, de capucines et de courgettes à venir. Ce sont des petits mondes de dix mètres par quinze, cousus les uns aux autres par des haies de rosiers et des chemins étroits. Au mois de mai, ils se réveillent. Les cabanes s'ouvrent, les oiseaux reviennent, les pivoines explosent.

On les appelait *jardins ouvriers* quand l'abbé Lemire les créa en 1897. En 1952, on les a rebaptisés *jardins familiaux*. Ils sont à Ris-Orangis, Saint-Denis, Brest, et partout ailleurs en France et à l'étranger… Certains ruissellent de fleurs, certains ont la sobriété des buis taillés, d'autres la prévoyance du potager. Chaque parcelle est un étendard, on y montre ses goûts et sa manière de vivre. On ose ce qu'on n'oserait jamais dans les barres d'immeuble où l'on habite, à deux pas. On ose le petit moulin de bois, le pagodon, le banc des amoureux entre les bambous nains.

On se prête un outil, on fait la fête dès qu'on peut. C'est petit, on est si proche. On se débrouille pour s'entendre. Chaque geste a des conséquences à trois pas de soi. On voit pousser dans son jardin le souci semé à côté par le voisin un jour de grand vent. On veut le rapporter, on sonne avant de pousser le portillon du jardin.

Ce sont des îlots de civilisation qui se louent à l'année de saison en saison. On aimerait qu'ils essaiment toujours plus loin, modèles réduits d'un monde un peu plus doux.

Une année, je m'étais porté candidat pour l'un de ces jardins. J'avais vingt ans. J'avais écrit une belle lettre à la Ligue du coin de terre et du foyer. Je savais qu'il me faudrait patienter longtemps. Il y a moins de parcelles que de candidats au paradis.

Un jour pourtant, deux ans plus tard, on m'a attribué un jardin. Il se trouvait à Morangis. Entretemps, mon père était tombé malade. Je savais que je n'aurais pas le temps de m'occuper de tout. Je devais abandonner ce rêve. Nouvelle lettre confuse pour expliquer ma situation. Je me souviens du courrier reçu quelques semaines plus tard. Je ne l'attendais pas. Ce courrier n'avait rien d'administratif, il souhaitait chaleureusement la guérison de mon père, et promettait que quelqu'un s'occuperait du jardin. Cette lettre reçue de gens que je n'avais jamais vus, à propos d'un coin de terre où je ne mettrais jamais les pieds, m'avait beaucoup ému. J'avais l'impression d'un jardinier voisin avec son chapeau et sa bêche qui m'aurait dit par-dessus la haie de liseron : « Occupez-vous de votre père, j'arroserai. »

Je pense souvent à ce jardin inconnu et à ceux qui le soignent toujours, à Morangis.

# Il travaille

— On dirait toujours que tu pars en voyage…

Elle le regarde qui se tient debout avec son sac dans le couloir de l'entrée. Ils sourient. Dans le salon, la télé est allumée. On entend la météo. Il embrasse sa compagne sur la joue.

— Si tu as ton fils au téléphone, dit-il, tu le remercieras pour la voiture.

— Ça ne le dérange pas. Il est content pour toi.

Depuis trois semaines, tout le monde est content pour lui. Il a trouvé ce travail. C'est bien. Tant pis s'il bosse la nuit, trois fois par semaine, même le samedi soir. Il en avait besoin. Et elle s'avoue secrètement qu'elle en avait aussi besoin. Elle le regarde différemment depuis le moment où il a commencé. Et quand il y a quelques jours on les a invités à dîner ce samedi de janvier, quelle joie pour elle de s'entendre répondre

« Ah, je suis désolé, samedi soir, Serge travaille. »
Dans le regard de l'amie qui les invitait, et faisait semblant de le plaindre (« le pauvre Serge, vraiment, qui travaille le samedi soir »), on sentait beaucoup de respect et même une pointe d'admiration. Il travaille. Ça sonne comme une parole rassurante.

— Alors à demain.

Il ramasse son sac. C'est vrai qu'il est toujours très chargé quand il part le soir.

Ils se sont rencontrés il y a quelques années dans une association. Il lui a dit le poids de son passé. Des années de prison, et puis le chômage. Ils vivent avec cela, tant bien que mal.

Quand il est revenu, juste après Noël, avec la grande nouvelle, elle a senti que tout devenait possible. Qu'il retrouve un peu de dignité, une petite place quelque part pour être utile, et une feuille de paie. Tous les jours, elle la lui demande. Bientôt un mois qu'il travaille. Elle est impatiente. Pas pour les chiffres qui sont sur cette feuille de paie. Pour les lettres. Les lettres de son nom. Elle veut voir le nom de son homme sur le papier, à côté de celui de l'usine.

Elle sait qu'il a un bac d'électrotechnicien. Elle a retrouvé le diplôme dans un carton et l'a affiché dans la cuisine.

Il regarde sa montre.

— Je file.

Cette hâte aussi la réjouit. Elle est fière qu'il soit attendu.

La voiture est garée juste devant. C'est une Renault grise d'un autre siècle mais elle marche. Il pose le sac

38

près de lui et démarre. Il ne voit pas qu'elle lui dit au revoir par la fenêtre.

Il tourne dans la rue suivante, fait cent mètres et va se garer le long du trottoir. L'hôtel de ville est juste à côté. Il reste là longtemps, assis derrière son volant. Il y a quelques jours encore on voyait clignoter les décorations de Noël. Les nuits lui paraissaient moins longues. Maintenant tout est gris. Il fait froid.

Serge n'est pas attendu à l'usine. Il a tout inventé. Mais depuis trois semaines, malgré l'angoisse, malgré l'impasse dans laquelle il s'est engagé, il se sent un peu exister dans le regard des siens.

Il ouvre le sac, en sort un autre pantalon et trois pulls. Il les enfile par-dessus ses vêtements.

Puis il passe sur la banquette arrière et s'allonge.

Quand j'ai lu dans le journal ce bref fait divers, quelques jours plus tard, un détail m'a frappé. Serge avait entrouvert la vitre de la portière. Il voulait respirer. Il tenait à la vie.

Il devait être 22 heures, ce samedi 12 janvier 2008, à Bourgoin-Jailleu, dans l'Isère.

Le dimanche matin, ses amis alertés par sa compagne ont retrouvé Serge mort de froid dans sa voiture.

# CAROLINE VERMALLE

# Le dernier tour

La jeune femme brune courait sous la pluie torrentielle pour prendre son service à *L'Escale*, l'unique café du quartier encore ouvert à cette heure du soir. Arrivée devant la porte vitrée encombrée d'autocollants, ses yeux s'arrêtèrent sur le reflet d'un halo de lumière derrière elle. Elle soupira. *Gaston*. Il avait dû oublier l'heure.

Elle se retourna. Au milieu de la place de ce « nouveau quartier » qui avait vieilli trop vite, se tenait, tel une oasis de couleurs au milieu du béton, illuminé comme un paquebot en fête, un manège pour enfants. À l'intérieur, un grand septuagénaire habillé d'une chemise hawaïenne émergeait de derrière le guichet. Sur son crâne tout lisse se réverbéraient les myriades d'ampoules multicolores accrochées au petit chapiteau. Par-dessus ses lunettes, ses petits yeux noirs se perdaient sous des sourcils touffus. Son sourire, que

43

tout le voisinage connaissait, était fendu d'un bec-de-lièvre.

Aller le voir ? Lui dire que personne ne viendrait plus à cette heure-ci ? Les cloches du centre-ville avaient déjà sonné huit heures. La pluie de novembre était glacée et elle était déjà en retard alors « tant pis », se dit-elle. Après tout, ce n'est pas un crime de laisser le manège ouvert, même si personne n'y vient plus. Elle poussa la porte du café et le carillon accompagna ses « bonsoir » au patron et aux quelques clients attablés. Puis elle s'installa derrière le bar, répéta des gestes connus par cœur et commença son travail dans la lassitude tranquille d'un soir ordinaire.

Ses yeux dérivèrent de l'autre côté de la rue, au-delà des bancs publics où se cognait le vent, vers la silhouette solitaire dans le carrousel. Pauvre Gaston, pensa-t-elle. Ils l'adoraient tous. Sur ses engins, les petites filles et les petits garçons des H.L.M. devenaient aventuriers, voyageurs, champions et explorateurs. Le vieux forain chauffait le micro à chaque tour, encourageait les gamins à appuyer sur le champignon ou à s'envoler pour les étoiles. Pendant que les « pousseurs de bouton » des manèges du centre-ville traitaient les passagers de leurs attractions avec une indifférence muette, Gaston, lui, repeignait toutes les semaines le béton triste de la cité du vert émeraude des rires d'enfants.

« Pauvre Gaston. À oublier l'heure qu'il est. »

*

* *

44

Gaston s'appuya sur le rebord du guichet, reposant son dos contre la vitre où étaient coincés le drapeau officiel des forains et une antique carte postale en sépia représentant une rizière asiatique.

Il inspectait son manège mais ses pensées prenaient toujours le large. Il pensa à la serveuse de *L'Escale*. Un joli brin de fille, gentille comme tout. Deux jours avant, elle était venue le voir pour lui rappeler l'heure qu'il était, et puis elle s'était enfuie. Elle le croyait gâteux, c'était sûr, mais enfin elle avait le cœur au bon endroit. Ce soir aussi, il l'avait vue regarder vers le manège avec un œil soupçonneux. Forcément, elle ne pouvait pas savoir que le vieux Gaston, il attendait quelqu'un.

Il remarqua un papier de bonbon froissé au fond du bateau de pirate. Il s'approcha et se pencha pour le ramasser, avec force « han » sonores. Quand il se releva, Louis était déjà là. Sa cape de pluie à capuche gouttait sur le sol en lino.

— Ah bah ! J'croyais que tu viendrais pas. Avec ce temps…, fit Gaston, essoufflé.

— Je serais pas parti sans dire au revoir, dit Louis.

Louis posa son baluchon de toile vert sombre et enleva sa capuche. C'était un gaillard aussi grand que Gaston, les épaules larges et carrées. Il avait la tête d'un boxeur, le nez cassé et une cicatrice encore rouge au-dessous du sourcil. Alors qu'il déboutonnait sa cape au niveau du cou, ses mains épaisses et écorchées semblaient trahir trente ans de labeur. Pourtant, on le voyait bien dans ses yeux noirs, il n'avait que vingt-trois ans.

Louis arriva enfin à se défaire de son pardessus et révéla un uniforme militaire, une veste verte sur une chemise sable et cintrée d'une ceinture marron. Un des boutons verts manquait sur sa pochette de poitrine. Il sortit son calot de sa poche et le remit sur ses cheveux blonds. À la vue de l'habit, Gaston se rembrunit. Il alla jeter le papier de bonbon dans la panière sous le guichet et demanda :

— C'est ce soir ?

— C'est ce soir, fit Louis en tirant de sa poche une cigarette roulée qu'il étira entre les doigts.

— Tu dois y être pour quelle heure ?

— J'ai encore un peu de temps. Jusqu'à neuf heures.

— Les trains, ils marchent avec toute cette flotte ?

— Tu parles qu'ils s'en foutent, les trains, du temps qu'il fait, dit Louis avec amertume. Ils partent, ils s'occupent pas du reste. Que t'aies la nausée, qu'il pleuve, que ta mère chiale sur le quai, ils partent, c'est tout.

Il alluma sa cigarette en tremblant. La lueur du Zippo dansait sur son visage noué. Gaston le regardait.

— Pas envie de partir, hein ?

Pour toute réponse, Louis retira avec impatience un bout de tabac de sa lèvre.

— Pourtant, continua Gaston, y en a qui t'envieraient.

— Ah, ben, je leur laisse ma place, tiens.

— Le voyage…

— Voyage de mes fesses.

Gaston éclata de rire. Louis s'assis sur le rebord de l'avion de chasse vert pomme et souffla des ronds de fumée. Gaston reprit sa position contre la vitre du guichet et demanda.

— Après le train, tu prends le bateau ?

— C'est ça. Le *Pasteur*.

— La traversée, combien de temps ?

— Trois semaines, ils nous ont dit... Escales à Casablanca, Aden. Et puis...

— Aden..., siffla Gaston, admiratif.

Mais Louis l'interrompit sans l'entendre.

— Quatre mille sept cents gars, « engagés volontaires » comme moi...

Il ricana et répéta comme pour lui :

— Volontaires, tu parles.

Puis il dévisagea Gaston, debout devant lui. Le jeune homme s'adoucit et tenta un sourire.

— Bon sinon, les affaires, ça marche ? demanda Louis.

— Pas plus mal qu'avant. Mais pas mieux non plus. T'as toujours la compétition des jeunes, surtout ceux qui sont là-dedans que pour le pognon. Tu les vois, ceux qui donnent la queue de Mickey qu'à un gamin qu'a des frères et sœurs, parce que tu comprends, si le frangin il a droit à un autre tour, les autres braillent parce qu'ils en veulent un aussi, alors les parents ils raquent. Ça salit le métier, des attitudes comme ça. Enfin qu'est-ce que tu veux que j'y fasse, un vieux comme moi. Tiens, viens voir, j'ai fait repeindre le chapiteau.

Il invita Louis à regarder les images qui ornaient le tour supérieur du carrousel. On y avait peint des imitations un peu maladroites des personnages de Walt Disney : un Dingo avec un baluchon, Mickey dans un avion, Mowgli du *Livre de la Jungle* sur le dos de Bagheera, Aladdin sur son tapis, etc. Ils avaient tous des bouilles de travers, mais allaient quelque part avec un air joyeux et optimiste, et c'était finalement le principal.

— J'en ai pas eu pour trop cher, ajouta Gaston. Un petit gars du quartier qui m'a dessiné ça. C'est bien fait, hein ?

— Ah oui, c'est bien fait.

— Avant, il y avait une bergère et ses moutons, des scènes champêtres, tu vois le bastringue. Mais les moutons, c'est plus d'époque. Maintenant il faut du rêve, de l'exotique, de l'aventure. Et puis tu sais, les petits du quartier, y en a combien qui sortiront de ce patelin, hein ? Ils ont à peine épuisé leur lot de tickets qu'ils s'en vont traîner près du centre commercial et puis ils restent ancrés là. Où est-ce que tu veux qu'ils aillent. Alors au moins ici, sur les engins de Gaston, on voyage.

Louis se rassit et regardait à présent ses godasses. Gaston s'installa à côté de lui et lui souffla :

— Quand tu y arriveras dans ton port à l'autre bout de la traversée. Quand tu la verras, cette ville où tu reconnaîtras ni les rues, ni les arbres, ni le cri des piafs, ni les caresses des dames, ni ce qu'on te dit et ni ce qu'on te dit pas. Quand tu te sentiras tout petit devant des grandes choses qui te remplissent le cœur et quand tu pleureras de pas être né poète pour pouvoir trouver les mots qu'elles méritent, alors tu penseras à nous autres ici.

Louis contempla le mégot de sa cigarette qui faisait brunir ses doigts rouges et murmura :

— Tu sais, c'est pas tant que je veux pas y aller, dans ce bout du monde. Je suis sûr qu'il est aussi beau qu'ici. Plus même, si ça se trouve, t'as raison. C'est que… c'est que, je suis pas sûr d'être encore là pour le bateau du retour.

— On n'est jamais sûr d'être encore là pour le bateau du retour.

— Je sais, mais là, les chances…, fit Louis en jetant son mégot éteint.

Gaston tapa sur ses cuisses et se leva.

— Il paraît que la sagesse c'est de savoir faire la différence entre les choses qu'on peut changer et celles qu'on peut pas. Le train ce soir, m'est avis que t'y peux rien et tu seras pas moins heureux, au contraire, quand tu l'auras accepté. Mais y a encore quelque chose que tu peux choisir.

— Quoi ? demanda Louis.

Gaston s'apprêtait à répondre mais il s'arrêta dans son élan. Du bout des doigts, il toucha son bec-de-lièvre. Puis soudain, avec un enjouement un peu forcé, il s'écria :

— Tu peux choisir de faire un tour dans le manège à Gaston. On arrive toujours à bon port, sain et sauf.

— Allez, montre-moi ta mécanique, fit Louis en montant sur la plate-forme avec enthousiasme.

Gaston poussa le bouton derrière le guichet et le plateau se mit à tourner. Les ampoules de la colonne centrale firent jaillir une gerbe de lumière dorée. Louis activa la manette d'un vaisseau qui décolla dans un pschhhhh jusqu'à ce qu'il soit sur la pointe des pieds. Il inspecta les pompes et les leviers, les ressorts qui faisaient se dandiner le cheval et tanguer le bateau. Gaston observait Louis se faufilant entre ses engins multicolores et le vieux forain se laissa submerger par un bonheur éphémère, qu'il prit pour de la fierté. Puis il se souvint que Louis et lui étaient tous les deux le même genre d'homme. De passage.

Enfin le plateau ralentit doucement. La main du boxeur caressa les flancs d'un cygne rose d'où pendait un cordon de sécurité :

— Y a pas à dire, c'est de la belle…

Mais il s'arrêta net et les ampoules dans ses yeux s'éteignirent d'un coup. Son cou se raidit en même temps que celui de Gaston. Quelque part dans la nuit, imperceptibles pourtant sous le tambour de la pluie, les coups de neuf heures déchiraient le soir.

Les deux hommes ne se regardèrent pas et pourtant jamais ils n'avaient paru si semblables. C'était le même sang qui coulait dans leurs veines, qui s'enfuyait devant ces adieux imminents.

Le grand corps de Louis se redressa et il alla prendre sa cape noire ; elle avait laissé une flaque grise près de la porte. Il l'enfila avec une désinvolture appliquée. Le moment était là, avec son goût d'eau sale, il était si près que Louis aurait pu le toucher, lui mettre des coups, un crochet véloce, un revers imbibé de rage, un uppercut haineux, tout ce qu'il avait dans le bide. Mais s'il avait demandé à Gaston, il aurait pu lui dire : on ne gagne pas contre le temps. Lui aussi ne fait que passer, mais il ne part jamais sans nous.

— T'as une belle place ici, dit Louis, les yeux baissés. Il essaya un sourire qui aussitôt s'éteint. Peut-être que quand je reviendrai je prendrai un manège comme toi.

Mais le vieil homme avait soudain posé ses mains cabossées sur les épaules de Louis et le dévisageait du plus profond de ses yeux noirs.

— Avant de penser à revenir, il faut que tu me promettes une chose.

Gaston déglutit comme si l'air lui manquait et il dit :

— Choisis de l'avoir choisi. Tout ça, cet uniforme, le quai de la gare, la traversée, l'inconnu, tout. C'est pas juste pour ceux qui peuvent pas partir. C'est… pour moi. C'est pour… que ça soit pas pour rien.

Les yeux de Louis devinrent brillants et un large sourire fit trembler sa lèvre supérieure.

— Non, je te le promets, ça sera pas pour rien. T'auras qu'à leur dire, aux petits qui passent ici, que Louis il est parti à l'aventure. Comme dans les livres qu'on lisait le soir, t'en souviens-tu ?

— Ah si je m'en souviens, je pourrais te les réciter. Et pourtant ma mémoire… des fois j'oublie des choses…

Les cils blancs de Gaston s'affolèrent comme des papillons dans la lumière et sa voix qui avait vieilli encore murmura :

— Mais même si ma mémoire elle doit tout effacer, je penserai toujours à toi. Je t'oublierai pas. Jamais.

Le visage de Louis se crispa et il prit violemment Gaston dans ses bras.

— Moi non plus. Moi non plus.

Ils restèrent ainsi, l'homme et l'enfant, enlacés à faire vaciller le temps, à faire s'arrêter les horloges et à enluminer une éternité d'absence de l'or des beaux instants.

Le soldat agrippa son sac de toile et s'enfuit sur le macadam brillant. Gaston le suivit des yeux depuis le rebord de son carrousel ; il sentait encore la force de sa jeunesse froisser ses os devenus si vieux.

Courant dans la nuit, Louis se retourna une dernière fois et lui cria, ses joues trempées de larmes et de tempête :

— Je t'enverrai des cartes postales, mon Gaston, je t'enverrai les plus belles !

Puis il disparut. Gaston resta amarré à son manège. Tout était immobile. Même la pluie avait perdu son élan.

*
* *

Sur la pendule de *L'Escale*, les aiguilles de la pendule Coca-Cola annonçaient 21 heures. Encore trois heures avant la fin du service. La jeune serveuse nettoyait une table près de la vitre – la même depuis cinq minutes. Elle avait été happée par ce manège qui avait tourné. Il était arrêté maintenant. Elle fixait Gaston, à moitié sorti de son carrousel, le visage dans le mauvais temps et un air d'y croire encore, comme la figure de proue d'un navire naufragé.

« Va savoir à quoi il pense, le vieux, à faire marcher son manège quand il y a personne dessus. Il a encore passé la soirée à se parler tout seul. Ça lui arrive tous les soirs, maintenant. Non, pas tous les soirs. Juste les soirs où il pleut. Il a plu toute la semaine, alors... Il faudrait qu'il rentre chez lui, il va prendre du mal avec toute cette pluie. Quelqu'un devrait le ramener, il habite pas loin. En voiture, il y en aurait pour cinq minutes. Moi, je suis coincée là jusqu'à minuit. Peut-être une bonne âme va le ramener. Un des clients peut-être. Oui, il faudrait que je demande aux clients – à ceux qui ne sont pas saouls. »

Mais elle ne bougea pas. Au milieu de la place, Gaston ne bougeait plus non plus, mais sous sa poitrine le cœur battait la chamade, tout enflé encore de ce dialogue imaginaire.

*
*  *

Gaston referma le pan de plastique. Il retira ses lunettes et les frotta avec sa chemise hawaïenne. Il essuya de sa manche les quelques gouttes de pluie sur le capot dc la Formule 1.

Puis il traîna les pieds jusqu'à la cabine et tendit le bras vers un petit interrupteur. Les ampoules rouges, jaunes, violettes, vertes, bleues et orange s'éteignirent d'un coup. Puis ce fut le tour des néons en étoile sur le chapiteau.

Seule une ampoule ordinaire qui pendait du plafond de la cabine éclairait le carrousel. Il y entra et ouvrit son tiroir-caisse. Il mit les pièces de monnaie dans un petit sac. Puis il tira son portefeuille de sa poche de pantalon pour y placer les billets de banque.

Le portefeuille s'ouvrit sur une vieille photo en noir et blanc. Une place de village d'antan, quelques parapluies, un manège pour enfant à l'ancienne mode. Louis et sa gueule de boxeur blond, dans son uniforme vert, sa ceinture marron et son bouton qui manquait, un sac de toile à ses pieds, posait, fier et triste à la fois, à côté d'un gamin de cinq ans qui tirait sur sa manche pour avoir un dernier tour. Le petit garçon souriait de tout son bec-de-lièvre.

Trois mots à l'encre fanée sur les bords cornés : *Papa, novembre 1946.*

Gaston toucha la photo du bout de ses doigts accidentés. Tous les ans à la Toussaint, le fantôme de ce père tant aimé et admiré revenait dans son manège. Les automnes avaient beau passer et ajouter des ans au petit garçon au bec-de-lièvre, Louis, lui, ne vieillissait pas. Quand d'autres placent des fleurs en plastique sur des souvenirs en marbre, Gaston ajoutait de la causette à ces adieux jamais oubliés. Ils parlaient les jours de pluie, le père et le fils, le fils devenu plus vieux que le père ; ils causaient et volaient à la vie une deuxième chance de se dire les choses qu'ils ne s'étaient jamais dites.

Gaston soupira longtemps, le dos courbé sur sa photo. Et il y en avait tant, des choses qu'il n'avait pas pu lui dire, à Sergent Louis Stella du 9e R.I.C.M., tombé pour la France à Saïgon, Indochine.

— Gaston ? Gaston ?

La voix douce de la petite serveuse résonna dans le carrousel. Gaston leva les yeux de son portefeuille et sourit.

— Dites, fit-elle timidement, vous voulez que je vous ramène chez vous? Ça me fait pas loin, j'ai ma voiture juste là.

— C'est bien gentil à vous, mademoiselle, et c'est pas de refus. Comment que vous vous appelez?

— Leila. Je suis la fille de la dame qui vient avec les petits jumeaux blonds, le mercredi...

— Ah oui, c'est des sacrés petits minots ceux-là... Vous savez par où qu'on passe pour aller à Saint-Elme...

Aspiré par cette conversation qui réchauffait tout le carrousel, le vieil homme éteignit l'ampoule ordinaire qui pendait du plafond. Alors la nuit tomba sur une amitié toute neuve, sur les premiers pas et les derniers tours, sur tous les départs et toutes les arrivées, et sur les rizières radieuses de l'autre côté du temps.

# La fille du déménageur

Et quand tous les jours sont aussi semblables les uns aux autres, c'est que les gens ont cessé de s'apercevoir des bonnes choses qui se présentent dans leur vie.

PAULO COEHLO
*L'Alchimiste*

1

Une alarme stridente éclata soudain : le détecteur de fumée s'était mis en route. Vincent s'élança dans la cuisine envahie de volutes grises. La sauce Buitoni grésillait, noire, au fond d'une casserole qui vibrait sur les flammes de la gazinière. L'eau des spaghettis avait débordé, laissant une écume sale sur les brûleurs et de la buée sur les vitres. Il éteignit le feu, ouvrit la fenêtre et monta sur le plan de travail pour arracher la pile du détecteur. Une fois le silence revenu, Vincent s'assit sur le lave-vaisselle. Il s'aperçut qu'il serrait toujours son téléphone portable.

Sa main était froide et humide. Ses 1,93 m de muscles étaient pétrifiés et, dans les circonstances, semblaient complètement inutiles. Sa bouche avait un goût de ferraille. Il regarda autour de lui, dans cette pièce à vivre désordonnée que le soir éteignait petit à petit. Il chercha des yeux quelque chose de singulier, d'impossible, un indice confirmant qu'il était dans un univers parallèle, que la Terre avait tourné dans l'autre sens, que ce que son ex-femme venait de lui dire n'était pas vrai. Mais si, c'était vrai. Ses 97 kilos se courbèrent encore un peu plus sur le lave-vaisselle. Puis, sans autre avertissement, des larmes coulèrent. Elles devaient venir de sacrément loin. Vincent, quarante et un ans, déménageur et fils de livreur de viande, était si fort et si grand qu'on aurait été pardonné d'oublier que quelque part dans ce corps, il y avait encore un endroit où l'on fabriquait des larmes. Il ne pleura pas comme un petit garçon. Ou comme une fille, non. Il pleura comme un homme qui vient d'apprendre que sa fille de seize ans vient de tenter de se suicider.

Cindy, sa Cindy, s'était loupée. Si elle avait voulu en finir, elle s'y était même pris comme un manche, avait plaisanté le médecin des urgences : les veines étaient à des kilomètres des coupures. Jeanne, sa mère, avait attendu qu'elles rentrent à la maison pour appeler son père. Vincent avait dû insister pour pouvoir parler à sa fille.

— Cinne… ma puce…, murmura Vincent.

— Ça va, Papa, ça va, soupira Cindy.

— Mais qu'est-ce que tu as fait… pourquoi tu…

— Je t'en prie, Papa. Tu vas pas t'y mettre aussi. J'ai pas essayé de me tuer. C'est pas ce que je voulais faire.

Vincent entendit Jeanne dans le combiné :

— Mais qu'est-ce que tu voulais faire, alors ? C'est pas toi qui l'as entendue hurler : « J'en ai rien à foutre de la vie » !

— Nan, mais c'est l'hystérie ici, s'énerva Cindy. C'est juste pas possible.

Silence. Quelques secondes. Porte qui claque.

— Six points de suture sur les poignets mais elle dit qu'elle a pas voulu se foutre en l'air ! Mais enfin qu'est-ce que je…

Les sanglots et la peur étranglèrent la voix de Jeanne. Vincent ferma les yeux pour chasser l'image de son ex-femme découvrant sa fille, les bras en sang.

— Jeanne, dit Vincent, je prends la bagnole et je viens tout de suite. Y aura pas de circulation à cette heure-là, je suis là en début de soirée.

— Nan, nan, c'est bon, renifla Jeanne.

— Si, si, je viens.

— Non, c'est un cirque ici. Si tu venais, ça serait pire. Mais… Mais je veux bien que tu la prennes un peu ces vacances, parce que là, moi j'en peux plus.

— C'est quoi les dates des vacances scolaires déjà ?

— Elles commencent le 5.

— Le 5…, fit Vincent, qui faisait des efforts pour se souvenir de quel jour on était, ou en quelle saison.

— Juillet, Vincent, fit Jeanne, dans un soupir exaspéré. J'ai un plan pour aller chez des amis en Bretagne, parce que là, j'ai besoin d'un break. Tu peux prendre Cindy du 5 ou 19 ? C'est dans deux semaines. Me dis pas que tu peux pas.

Avant que Vincent ne puisse répondre, elle ajouta :

— S'il te plaît, sois un père, un peu.

— Si, si je peux, bien sûr.

— Tu promets, hein ? Me fais pas le même coup que la dernière fois.

La conversation menaça de tourner au vinaigre mais Vincent réussit à rectifier le tir en parlant doucement. Alors commença un long dialogue, comme ils le faisaient trop rarement depuis leur divorce dix ans auparavant. Ils parlèrent de Cindy, de ce qu'elle faisait, de ce puzzle inextricable qu'elle était devenue, des conséquences de ces dernières vingt-quatre heures, de leur adorable petite fille qu'ils avaient connue un jour et de cette énorme tâche à laquelle ils ne se feraient jamais : être parents. En lui souhaitant bonne nuit, il sentit que Jeanne était un petit peu plus apaisée. Et lui l'était aussi. C'est pourquoi ces larmes si sûres d'elles-mêmes le prirent tant au dépourvu.

Ils avaient parlé si longtemps qu'il avait oublié les pâtes sur le feu. Vincent essuya la morve et les larmes de sa manche, et regarda sa *maison de charme au cœur du Berry, beaux volumes, travaux à prévoir.* Cela faisait trois ans qu'elle était presque finie. Au milieu du désordre, on pouvait déceler les efforts de rangement.

Mais le temps avait passé comme si de rien n'était. Un masque africain le regardait d'un œil, à moitié caché sur le dessus du carton *Guibert Déménagement* en haut d'une pile aussi haute que la cheminée. Une perceuse sans-fil chargeait dans un coin. La table basse était encombrée de beaux livres de voyage que seulement de rares invités ouvraient – des taches de bière avaient fait gondoler la couverture de l'un d'eux. Les fenêtres, ornées de jolis rideaux en mousseline, encadraient l'obscurité totale de la campagne berrichonne.

Il descendit, traversa la cuisine et ses odeurs de tomate brûlée. Arrivé dans le salon, il ne sut plus que faire de ce grand corps qui avait pleuré. Il échoua sur son canapé – la chambre était trop loin. Il souleva les hanches pour atteindre son portefeuille dans la poche arrière de son jean. Puis il en sortit, derrière les cartes de fidélité du cinéma et de Leroy Merlin, une photo découpée pas droit. Cindy.

Cindy, tout sourire avec son appareil dentaire, les cheveux châtains et encore longs comme les premières de la classe. Cindy, sa petite fille à qui il avait appris tout ce qu'il savait de la vie, comme faire le poirier dans l'eau ou se méfier des hommes. La photo datait de quatre ans, à l'époque où elle avait encore besoin de lui; pas souvent mais des fois quand même. Il n'avait pas de cliché récent de Cindy. Mais chaque fois qu'il voyait cette photo, dans un pincement de cœur il pensait à cette toute jeune femme qu'il retrouvait un week-end par mois, avec ses cheveux rouges, son maquillage de travers pour avoir l'air d'une chanteuse pop coréenne, et cette tristesse dans les yeux qui lui disait qu'il avait eu tout faux.

Il s'allongea sur son canapé. Il regarda le ciel tout noir qui s'invitait chez lui. Aucune étoile. Ça tombait bien, il ne voulait pas les voir. Il avait raconté à Cindy, alors enfant, que c'est là qu'étaient partis son cochon d'Inde et papy Roger et mamie Micheline. C'était de sa faute si les étoiles avaient appelé sa fille. Le ciel a l'air si simple et si beau, on ne devrait pas tenter les enfants. Vincent sentit à nouveau la chaleur des larmes brûler ses yeux.

Saloperie d'étoiles.

## 2

Le lendemain matin, le camion vert, bleu et blanc, et les immenses canards sauvages peints qui constituaient le logo *Guibert Déménagement* faisaient l'événement dans la routine tranquille d'un petit bourg berrichon.

Un monte-meubles était accroché à la fenêtre du premier étage d'une grande maison neuve et trois hommes vêtus de sweat-shirts vert, bleu et blanc, allaient et venaient sur le gravier de la cour. C'étaient Bertrand, la coupe militaire, le ventre généreux et des lunettes de vue rouges à la mode, Philippe, le chef d'équipe tatoué qui gérait la paperasse, et Mathieu, l'apprenti de vingt et un ans avec le jean taille basse d'où dépassait son caleçon siglé.

Philippe finit sa cigarette et aida Bertrand à monter un long tapis roulé dans le camion. Mathieu était occupé à fixer les meubles avec des sangles mais ne perdit pas une miette de ce que Bertrand murmura à Philippe.

— Philippe. Tu sais ce qu'il me dit, Vincent ?

— Non.

— Ce matin, quand j'arrive, je lui dis « ça va vieux ? », tu vois, comme ça, relax, le bonjour du matin, quoi. Tu sais ce qu'il me répond ?

— Non.

— « J'ai connu des jours meilleurs. »

— Oh merde, fit Philippe.

— Comme je te le dis, insista Bertrand. Et là, je viens de le voir, il avait l'air tout pensif, il était en train de fixer une espèce de vache en marrons.

— Une quoi ?

— Tu sais, tu prends des marrons, tu y plantes des allumettes ça fait des pattes, et ça fait une vache, un truc pour gamins, quoi. Et elle avait pas l'air de lui remonter le moral, cette vache.

— Je me disais bien qu'il était pas comme d'habitude. Bon. Il va falloir intervenir.

Mathieu, qui n'avait pas la langue dans sa poche, interrompit.

— Y a peut-être pas de quoi faire une raclette. C'est une journée pourrie pour tout le monde, moi j'ai mon banquier qui menace de m'interdire bancaire, ma copine qui…

— Vous les jeunes, interrompit Bertrand, il faut toujours que vous ayez un pet de travers. « Ça va pas, gnan gnan gnan… »

— Les jeunes, les jeunes, répliqua Mathieu. Ça va, Vincent, il a pas fait la guerre non plus, hein.

— Je sais pas ce qu'il a connu comme guerre, Vincent, fit Philippe. Mais moi ça va faire quinze ans que je travaille avec lui. Jamais il se plaint, jamais il te demande quoi que ce soit alors qu'il est toujours prêt à rendre service et à remonter le moral aux autres. Tu lui demandes comment ça va le jour de l'enterrement de son père, il te dit : « Ça va, ça va ». Tu lui demandes comment ça va, deux mois après, cette fois c'est sa mère au cimetière, « ça va, ça va ». Le divorce « ça va, ça va », alors quand il me dit : « Ça va pas », le Vincent, je m'inquiète.

— Ouais, c'est bien ce que je dis, renchérit Bertrand, qui soudain semblait perdu dans des pensées pluvieuses.

— Je crois qu'on devrait lui parler, dit Philippe, en regardant Bertrand.

— Je préférerais que ça soit toi, fit Bertrand. Puis il jeta un œil à Philippe et Mathieu qui le fixaient, et ajouta : Bon O.K., j'y vais. Mais c'est vous qui vous coltinez le cristal.

Pendant ce temps-là, dans la maison, Vincent emballait le petit électroménager de la cuisine et il voulait qu'on le laisse tranquille. Il considérait son travail de déménageur comme un travail de chirurgien. Déranger le cœur des maisons, scruter le fond des placards, mettre les pièces en carton, démonter et remonter la vie des gens – la mission méritait toute son attention ainsi que son savoir-faire.

Mais aujourd'hui il avait du mal à se concentrer. Il savait qu'il n'était pas efficace et qu'il ralentissait l'équipe, et cela le rendait nerveux. Son esprit retournait toujours au chevet de Cindy – et qui sait combien de temps il restait là, perdu devant un meuble ou un bibelot ?

Dans la cuisine américaine, il y avait du papier peint rouge et blanc avec des fourchettes dessus. Il était joyeux, ce papier peint. Son regard s'était posé sur les murs, où les cadres avaient laissé une marque jaunie sur la tapisserie, bordée d'une moustache de poussière noire. Mais tout ce qu'il voyait, lui, c'était que dans la vie de sa fille, il avait été un beau cadre, et maintenant il n'était qu'un bout de vide tout jaune avec de la moustache autour.

Il passa au salon et il commença à empaqueter les petits cadres sur la cheminée. Les maisons tristes, les maisons malheureuses, les maisons seules, les maisons abandonnées – il en avait fait assez pour savoir que celle-ci était heureuse. C'était quelque chose qu'il reconnaissait tout de suite. Ce n'était pas une question d'esthétique, ni une question de prix, et on n'avait pas besoin de colliers en coquillettes tous les centimètres. Il ne croyait pas non plus à ces âneries de Feng Shui. Il en avait fait deux, des appartements Feng Shui, et il y avait autant de bazar dans les placards et les ficus crevaient tout pareil que chez les pas Feng Shui.

Non, une maison heureuse, c'était une équation magique, une combinaison subtile et pourtant ordinaire qui composait avec la beauté des choses, l'humour, l'amour, la nostalgie des choses, un trait de désordre, la patine du temps qu'on ne voit pas passer. Comme chez les gens, dans un groupe un peu triste il suffit d'ajouter une personne et tout d'un coup il y a de l'énergie partout. Peut-être bien que chez les objets, c'était pareil. Qui sait.

Bien sûr, les enfants, ça aidait, pensa-t-il en emballant les vacances à la neige et la première communion de l'aînée. Mais pas toujours. Il avait aussi déménagé des maisons pas belles avec des enfants dedans, en option « Éco » ou en option « Prestige », et ça lui avait froissé le cœur. Et à chaque fois il s'était dit que Cindy, elle n'avait pas trop à se plaindre.

Il regarda encore les sourires des petits à travers le papier bulle. Il se demanda si à ces enfants-là, il faudrait leur dire un jour pourquoi la vie vaut la peine d'être vécue.

Pourquoi la vie vaut la peine d'être vécue.

Cette petite phrase zinzina entre ses oreilles pendant tout le reste de la journée, sans qu'il sache vraiment ce qu'elle faisait là. Quand Bertrand vint lui demander si ça allait, vieux, hein, s'il y avait quelque chose qui l'emmerdait, qu'ils seraient là pour lui, les trois mousquetaires de Guibert Déménagement qui étaient quatre, hein, il faut jamais hésiter à demander. Vincent dit simplement que sa fille, eh bien, c'était pas la grande forme, et il n'en fallut pas plus. En trois phrases et demie le message était passé dans les deux sens et Vincent ferma les volets de sa maison ce soir-là en sachant qu'il pouvait compter sur ses amis. Mais que pouvaient-ils faire, à vrai dire ?

Dans sa salle de bains pas finie, il se regarda dans le miroir posé en équilibre sur l'étagère. « Sois un père. » Il prit une douche et observa la mousse qui tombait sur la bouteille de shampooing. « N'hésite pas à demander, hein, vieux. » Il se coucha sur l'oreiller de droite. « Pourquoi la vie vaut la peine d'être vécue. » Et il resta éveillé. Longtemps. Le sommeil n'arrivait pas. C'était comme si son cerveau marchait sur une scie sauteuse.

Et au beau milieu de la nuit, quand tous les chiens sont couchés et tous les loups aussi, au moment où il fait si noir que l'aurore vous prend par surprise, Vincent se redressa soudain dans son lit.

Il avait une idée.

## 3

Deux semaines pour montrer à sa fille que la vie vaut la peine d'être vécue.

Deux semaines de petits bonheurs simples. Deux semaines de ses plats préférés, de films sympas et pas tristes, de balades enchanteresses, de sorties en ville, de musiques sur lesquelles on danse n'importe comment, de trucs de filles et il ne savait quoi encore, mais il trouverait.

Deux semaines de jolis moments ordinaires et même quelques-uns extraordinaires. Deux semaines de jours qui comptent double, ces journées dont on se souvient toujours, comme chaque fois où il était parti à l'aventure dans des pays étrangers. Pour Cindy, ça serait comme une épiphanie. Devenue adulte, elle dirait : « Ce sont ces deux semaines avec mon père qui changèrent tout pour moi. C'est à partir de ce moment que je repris goût à la vie. »

Peut-être que l'idée lui était venue à cause d'un livre posé sur sa table de chevet. Vincent n'était pas trop lecture, il était plutôt voyages, musique et cinéma. Mais cet ouvrage que Patricia lui avait passé l'avait marqué, c'était *L'Alchimiste* de Paulo Coehlo. L'histoire d'un jeune berger espagnol qui va au bout de ses rêves grâce à un grand voyage à travers le désert et à la rencontre d'un alchimiste et d'un roi.

Dans sa solitude nocturne, le déménageur s'imaginait en héros, en phare dans la nuit et en philosophe berbère. Il voyait sa fille lui sourire de ces sourires d'album photo qui sont tout délavés à force de les regarder. Et plus il rêvait, plus Cindy rajeunissait et la tendresse éclairait les ombres de la chambre. Son cœur, sous ses pectoraux, courait comme un petit chien fou.

Le lendemain, il arriva au bureau et alla parler au patron. Il lui raconta l'histoire. Il lui demanda trois semaines de congé et lui montra les dates sur le calendrier. Le chef les lui donna sans sourciller. Vincent était un employé modèle, mais surtout, personne ne peut négocier avec un père qui s'est donné le temps des vacances pour redonner le goût de vivre à sa fille unique.

### 4

Samedi matin, trois téléphones sonnèrent et trois amis répondirent présents à l'appel de Vincent : il leur demandait de venir lui filer un coup de patte pour finir les travaux dans sa maison. Il ne restait plus grand-chose mais il fallait que tout soit fini dans moins de deux semaines. Bertrand, Philippe et Mathieu étaient prêts à relever le défi. Ils arrivèrent chez Vincent après le déjeuner, munis de leurs meilleurs outils et d'huile de coude à revendre.

Plus tôt dans la matinée, après avoir passé ses coups de fils, Vincent avait dû se rendre à Châteauroux pour s'assurer l'aide d'autres alliées. Le déménageur sortit du bureau de tabac avec une petite boîte de Ferrero Rocher et deux tickets de loterie. Il remonta les pavés de la rue des Chats-gris et frappa à la porte d'une petite maison de ville.

Silence.

Il attendit, puis frappa à nouveau.

— Renée, c'est moi ! cria-t-il.

Silence.

Il essaya de regarder par l'unique fenêtre qui donnait sur la rue mais ne put rien voir. Alors il souleva le pot de géraniums : il n'y trouva que de la terre. Il jura et frappa à nouveau.

— Renée !

Puis enfin, il entendit des pas de l'intérieur :

— Oui, oui, j'arrive ! Du calme…

La porte s'ouvrit sur une jolie femme brune et mince d'une quarantaine d'années, qui ressemblait à une danseuse de tango en habit de jardinier.

— Patricia ? Je croyais que tu avais des trucs importants à faire ce week-end ?

— Et tenir compagnie à ta grand-mère qui est toute seule, c'est pas important ça ?

Elle essuya ses mains sur son tablier vert, fit deux bises à Vincent et prit dans sa poche la clef qu'elle posa sous le géranium.

Patricia regarda Vincent planté là avec ses chocolats et ses billets de loterie. Vincent allait parler, mais une voix toute frêle résonna derrière Patricia.

— Vincent, c'est toi mon petit ?

Renée émergea de la pénombre, en se tenant d'une main à la chaise de l'entrée. Elle ne pesait pas plus lourd qu'un moineau mouillé et flottait sous son blazer d'homme en tweed – sa tenue de jardinage. Elle portait des lunettes noires comme si elle était sur la Croisette, une casquette de champion de cyclisme et un sourire largement plus grand qu'elle. Renée allait sur ses quatre-vingt-quatorze ans.

À côté d'elle, Vincent avait l'air d'un géant.

— Salut, Mamie.

— Bonjour, mon petit. Tu m'as ramené mon loto ? Combien que je te dois.

Elle tenait à la main un porte-monnaie brodé et tout usé.

— Mais, Mamie, tu sais bien que tu ne me dois rien.

— Bah ! tu me fais le coup toutes les semaines. Tiens, quatre euros.

Vincent prit l'argent en soupirant et ferma la porte. Il regarda Patricia, mais elle détourna les yeux et dit :

— Renée, qu'est-ce que vous allez faire si vous gagnez le gros lot ?

— Qu'est-ce que tu me dis, ma belle ?

— Je dis, qu'est-ce que vous allez en faire, de tous ces sous, si jamais vous gagnez ?

— Ah ça… je vais me payer des nouvelles mirettes, tiens ! Non, je vais tout donner à mon petit-fils ! Après, il en fera ce qu'il en voudra.

Renée, une ancienne cuisinière, avait une mémoire d'éléphant. Elle donnait à manger à son chat trois fois dans la même matinée et mettait sa télécommande dans la boîte à biscuits, mais sur quatre-vingt-dix années d'anecdotes, elle était incollable. C'était comme si toute sa vie était rediffusée chaque après-midi à la place de sa série américaine. On disait aussi qu'elle avait la main verte – mais ceux qui le disaient n'avaient pas vu son jardin. Vincent, Patricia et quelques autres initiés savaient, eux, que Renée était en vérité une magicienne. Avec ses outils tordus, elle régnait sur plus de dix mille fleurs ; leurs couleurs éclatantes étaient les seules que la vieille dame puisse encore distinguer clairement derrière ses lunettes noires.

Quant à Patricia, une pharmacienne divorcée comme Vincent et maman d'une fille de vingt ans étudiante à Paris, elle était de ces femmes qui prennent naturellement les choses en main et font tout en même temps, très vite et très bien. Patricia, c'était tout simplement Patricia, il n'y en avait pas deux comme elle. À elles deux, Renée et Patricia étaient la clef de la réussite du projet de Vincent. Il s'installa dans la cuisine et commença à leur parler de son idée pour les vacances, sans toutefois s'étendre sur la santé de Cindy.

— Pas question, fit Patricia, catégorique.

— Attends, fit Vincent, éberlué. Je n'ai pas fini de t'exposer…

— Si, si, j'ai bien compris. Tu veux que je te concocte un programme « spécial filles » pour Cindy, style shopping, institut de beauté, etc. Tu veux également que je t'aide à l'organiser, voire à accompagner Cindy.

— Non, l'organisation, c'est moi qui m'en charge. Je finance aussi. Mais après, c'est sûr que c'est pas moi qui vais me faire faire une manucure.

— Et pendant ce temps-là, continua Patricia, tu veux que ta grand-mère te prépare les plats préférés de Cindy quand elle était petite, et le tout en service « à emporter ».

— Ben, fit Vincent, penaud, y en a que je peux congeler. Et puis, en s'adressant à sa grand-mère, on viendra prendre le déjeuner avec toi de temps en temps.

— Mais mon petit, dit Renée, tu sais bien qu'il y a belle lurette que je ne cuisine plus, avec mes yeux. La dernière fois que j'ai fait un gâteau, c'était y a pas loin de dix ans. À part des pâtes au beurre, je ne vois pas ce que je pourrais te faire, mon pauvre lapin. Enfin, attends, j'ai quelque chose pour toi.

Renée se leva et déambula lentement jusqu'à l'autre bout de la cuisine. Sous les escaliers, se trouvait un placard, d'où elle sortit une boîte en plastique rouge. À l'intérieur se serraient des fiches bristols ornées d'une écriture penchée. Pendant qu'elle pressait une à une les fiches contre les verres de ses lunettes noires, Vincent murmurait à Patricia :

— C'est pourtant pas désagréable comme plan, d'aller te faire pomponner à mes frais avec Cindy… Et puis tu peux choisir autre chose si tu n'aimes pas les instituts… Qu'est-ce qu'elles aiment, les filles de son âge en général ?

— C'est ça, Vincent, le problème, répliqua Patricia. Tu veux savoir ce qu'elle aime faire, ma fille ? Charlotte, elle va passer ses vacances dans la poussière, en Israël, sur une fouille archéologique avec ses copains de licence d'histoire. Alors je vais te dire que les soins du visage aux oligoéléments, elle s'en tape. Le trimestre dernier, elle connaissait par cœur tous les films avec Sophie Marceau, mais depuis qu'elle sort avec un

71

photographe, elle ne regarde que les trucs italiens des années 50. J'ai bien compris ce que tu veux, Vincent : c'est un programme de filles en *taille unique*. Laisse-moi te dire que ça n'a aucun sens. C'est une vision de la femme qui date d'il y a trente ans.

— Ça y est, tu montes sur tes grands chevaux..., soupira Vincent.

— Mais en plus, continua Patricia, c'est pas avec moi qu'elle a besoin de passer du temps, ta fille. Si tu veux que ça marche, ton idée, il faut que tu t'investisses.

— Mais, je m'investis...

— Non, non. T'investir, c'est trouver des choses à faire qui sont juste à toi et à Cindy. Des trucs qui ont du sens pour elle. Sois un père, quoi.

— Ah, la voilà ! s'écria Renée. Et elle agita une fiche tachée et cornée tout en se pressant vers Vincent et Patricia. La recette du gâteau aux pruneaux ! Qu'est-ce qu'elle a pu en manger quand elle était petite, Cindy, oh la, la ! Une fois, t'en souviens-tu, elle devait avoir sept ans. Elle en avait mangé cinq parts. Cinq ! Elle avait été malade dans la voiture au retour à Paris. Quel travail... Enfin voilà, tu peux copier la recette. Mais tu me la rends, hein ?

— Mais, Mamie, je sais pas les faire, moi, les gâteaux...

— Sottises ! Je les ai vus, les hommes de maintenant, à la télé, ils font tous des gâteaux. Alors toi qui es futé comme une belette, il n'y a pas de raison que tu n'y arrives pas. Celui-là, c'est simple comme bonjour, c'est de la pâte sablée.

Vincent prit la recette. Il n'avait aucune idée de ce qu'était une pâte sablée et pas plus ce que voulait dire « être un père ». Une fois de plus on lui demandait de l'être et une fois de plus, il avait le sentiment que tout le monde savait ce que ça voulait dire sauf lui.

Il quitta la rue des Chats-gris avec la fiche bristol dans la main et une boule de mélancolie dans le ventre. Il aurait voulu tout abandonner, mais Cindy viendrait de toute façon et ils ne pouvaient pas passer deux semaines à se regarder en chiens de faïence. Il fallait bien trouver *quelque chose* à faire. Il décida de passer chez Leroy Merlin. Un magasin de bricolage, ça donne toujours des bonnes idées.

## 5

Le lendemain matin, c'était dimanche et les amis étaient arrivés de bonne heure pour les travaux. Le temps de prendre un café et hop, ils étaient à l'œuvre – Bertrand et Philippe à poser les derniers carreaux de carrelage de la salle de bains et Mathieu à poncer les fenêtres du salon. Vincent, lui, s'attaquait à la chambre d'amis. C'était là que Cindy dormirait. Jusqu'à maintenant, une nuit par mois, elle avait dormi sur le canapé clic-clac. Pour l'instant, tout ce qu'on pouvait voir dans la pièce était un amoncellement de bouts de moquette, de tringles à rideaux, de cartons éventrés, de sacs Ikea et de matériel de bricolage. Après quelques allers-retours dans le garage, on pouvait à nouveau distinguer le lit au milieu du plancher poussiéreux, et même une petite table de chevet. Il étendit un vieux drap sur le mobilier, posa une bâche sur le sol, nettoya les murs au balai et prépara ses pinceaux. Enfin, sur les murs piqués et tachetés de cette maison centenaire, apparut un grand trait de couleur tilleul.

Tilleul. Vincent n'était toujours pas sûr du choix du coloris. La veille, il était resté une demi-heure devant le rayonnage de pots de peinture de Leroy Merlin. Jamais il n'aurait pensé qu'il puisse exister autant de couleurs – leur nombre était véritablement infini. S'il n'y avait eu que lui, il aurait pris blanc. Il choisissait toujours blanc, c'était propre et pas compliqué – à la limite blanc cassé s'il se sentait des envies de fantaisie. Mais il avait entendu que la couleur jouait sur les humeurs et les émotions, il y en avait même qui soignaient les gens avec des couleurs. Sauf qu'il n'avait pas retenu quelle teinte était la plus appropriée pour les dépressifs. Les couleurs vives, sûrement. Mais s'il se trompait ? Le rouge ça faisait sang, le bleu ça faisait poissonnerie, le vert ça faisait pelouse et le jaune ça allait la rendre complètement marteau. Le rose c'était petite fille, le violet ça lui donnait envie de vomir, les pastels c'était pour les mamies, les foncés ça assombrissait, les neutres ça faisait snob… Et le tilleul… Le tilleul, ça faisait Patricia.

Patricia avait repeint les murs du salon de son petit appartement de Châteauroux et les rares fois où Vincent avait été invité, il avait trouvé ça tout à fait charmant. Ce n'était pas trop féminin, c'était doux et plutôt gai, une nuance qu'on remarque à peine mais qui apaise. L'apaisement, c'était sûrement bon pour Cindy, alors il en avait pris deux gros pots en satiné.

Mais en ce dimanche matin qui baignait dans la grisaille, le tilleul de la chambre d'amis avait tourné au vert sombre infusé de moutarde. Peut-être la peinture s'éclaircirait une fois sèche. Vincent avait des doutes.

Mise à part l'anxiété que provoquait le choix de la nuance, Vincent aimait peindre. Il écoutait la radio que Bertrand avait branchée dans la salle de bains et il laissait le mouvement répétitif du rouleau bercer ses pensées. Il avait gambergé sur ce que Patricia avait dit et en avait conclu qu'il devait commencer par le commencement, c'est-à-dire se poser la question : qu'est-ce qui le rendait heureux, lui, Vincent Girard ? Peut-être même que dans le tas, il trouverait des trucs qui plairaient à Cindy aussi. En somme, il partirait de cette liste de choses comme d'une base de réflexion. Mais l'exercice s'avérait plus difficile qu'à première vue.

C'était un classique des magazines : on demandait aux gens célèbres quelles étaient les dix choses qu'ils préféraient dans la vie. Ou alors les dix choses qu'ils emporteraient sur une île déserte. Et paf ! ils sortaient une liste sans ratures. Des chanteuses aux footballeurs, ils avaient toujours la réponse prête comme s'ils se trimballaient toute la journée à planifier leur départ pour le milieu du Pacifique. En plus, Vincent qui en avait vu, des îles, dans sa jeunesse, à l'époque où il parcourait encore le monde en sac à dos – il savait bien que ce qu'on apporte au bout du monde, ce n'est ni un disque des Beatles ni un château Mouton Rothschild 96. D'expérience, il opterait plutôt pour le couteau suisse, le sac étanche et le PQ, mais passons, forcément il n'avait pas la même conception du voyage que les gens riches. Mais enfin, pour ce qui est des petites douceurs de la vie, se dit-il en barbouillant son tilleul, il devait quand même savoir ce qui lui faisait plaisir. Alors il se mit à réfléchir.

Quand la première couche fut passée, il alla prendre un stylo et un petit calepin dans la cuisine et, tachant le papier quadrillé de peinture tilleul, il essaya de faire une liste. Mais rien ne sortit. Et pourtant il avait ses réponses.

Il aimait se balader dans les pins en Vendée. Il aimait les grands prix de Formule 1 quand c'est le bordel au départ. Il aimait le jaune. Il aimait quand l'eau scintillait dans le soleil, l'eau des fontaines, des rivières et des océans. Il aimait les routes qu'il ne connaissait pas encore. Il aimait démonter les meubles compliqués et sortir les choses fragiles des couvertures grises. Il aimait le travail bien fait. Il aimait les macaronis au gratin que sa mère préparait. Il aimait Aerosmith, Bruce Springsteen et Daniel Balavoine, il aimait mettre la musique à fond quand il était seul dans son camion, il aimait rigoler avec les trois mousquetaires, il aimait les atlas, il aimait les dimanches pluvieux où on n'est pas obligé de sortir, il aimait faire sa gym, il aimait une belle nappe recouverte de tout plein de plats, il aimait être avec Patricia, il aimait le parfum des jardins d'été au soleil couchant, il aimait dormir tout nu dans ses draps bien repassés, il aimait l'odeur des cheveux de sa fille au temps où il pouvait embrasser sa tête, il aimait les albums où il y avait ses photos, il aimait se repasser les souvenirs de quand elle était petite. La grande main de Vincent avait fait un arc tilleul sur le papier vide et il sentit ces stupides larmes menacer de revenir.

76

Non décidément, c'était complètement idiot de faire une liste comme celle qu'on prend pour aller à Super U. Comment faire rentrer un dimanche pluvieux dans le programme ? Surtout qu'on annonçait du beau. Et puis ces choses qui le rendaient heureux, c'étaient des choses de *loser*. Même les voyages, que jadis il aimait par-dessus tout, il n'était plus fichu de les faire – il gardait toutes ses économies pour la nouvelle terrasse avec véranda qu'il prévoyait de construire. Un truc de vieux, quoi – la baroude, c'était fini.

Il entendit ses amis parler pause déjeuner et il se dit que l'entreprise était vouée à l'échec. Pas un échec retentissant, non, un échec qui passe inaperçu mais qui creuse un grand trou dans la poitrine. L'erreur fatale était qu'il se prenait pour quelqu'un qu'il n'était pas. Les pères, chez lui, ça apportait de quoi manger sur la table, ça disait : « Ça lui passera avant que ça me reprenne », et ça se prenait pas pour des rois du désert ou des footballeurs célèbres. Jamais son père, Roger Girard, livreur de barbaque, ne se serait demandé ce qu'il emporterait sur une île déserte. Ou aurait fait des listes à la peinture tilleul.

Vincent, la mâchoire tendue, conclut que Cindy dormirait dans sa chambre vert sombre, les journées se passeraient comme elles passent tout le temps, sans tambour ni trompette et puis voilà. Il froissa la feuille collante de peinture et la mit à la poubelle.

C'est alors que Bertrand entra dans la cuisine. Il prit un torchon pour essuyer ses lunettes maculées de poussière blanche, et en clignant des yeux, dit à Vincent :

— Alors, t'as prévu tout un tas de trucs sympas pour les vacances de ta fille, à ce que j'entends ?

## 6

Alors que les hommes entamaient la charcuterie, le pain et le fromage dans la poussière de la cuisine, Vincent regardait ses chaussures.

— À vrai dire, je bloque un peu, là, sur le programme.

— Ça c'est sûr que les gamines de seize ans, commença Bertrand, pour savoir ce qu'elles aiment, c'est coton. Faire les magasins… D'un autre côté, tu vas pas faire les magasins pendant deux semaines, huit heures par jour. Qu'est-ce que ça aime encore, les filles ?

— Aller chez le coiffeur, proposa Philippe. Mais bon, c'est pareil, elle va pas passer ses vacances chez le coupe-tiffes. Ah ! c'est sûr que si c'était un gars, ça ferait moins de problème.

— Y a au moins un truc où tu peux pas te planter, fit Mathieu la bouche pleine de sandwich. C'est la bouffe. Mec ou nana, à tous les âges, la cuisine, un bon resto, ça le fait.

— Oh ! attention, fit Philippe, les gamines, maintenant, il faut faire gaffe avec la bouffetance. C'est pas simple non plus, ça.

— Au moins Cindy, elle mange bien, fit Vincent, comme pour lui. Quels restos vous conseillez ?

S'ensuit un grand débat sur les mérites de brasseries, cafés, hôtels-restaurants, fast-foods, bouis-bouis, camions à pizza, restaurants gastronomiques et cuisine à emporter des environs. Ils auraient pu faire à eux quatre le guide gastronomique de tout le Berry et même de la Touraine. Vincent notait les meilleures adresses sur son petit calepin, mais il termina la conversation par le constat démoralisant qu'il n'avait pas les moyens de se payer toutes ces sorties.

— Ça, c'est sûr que c'est devenu un luxe, la bouffe, marmonna Bertrand en reprenant du saucisson.

— Un luxe, un luxe, objecta Philippe. C'est un luxe si tu vas dans les restos pour snobinards parce que tu payes le service en cristal et l'habit de pingouin du serveur. Mais chez moi, la bouffe, y en a toujours de la bonne et je te promets que t'as pas besoin d'être Crésus pour bien manger. Tu verrais ma mère, les rillettes qu'elle fait, je te défie d'en trouver des pareilles dans le guide Michelin. C'est de la haute compétition, niveau national.

— Voire international, je confirme, fit Bertrand.

— Et le chili con carne de ma femme. Elle le congèle, et si on a des invités, hop ! Un délice.

— Mon salaud, ta femme, c'est vrai qu'elle cuisine bien, déclara Bertrand. Remarque, je me plains pas de la mienne. Elle, c'est tout ce qui est dessert. T'en fais pas, dès qu'il y a un anniversaire dans le quartier, ou une communion ou quoi, c'est elle qui fait les gâteaux. Elle aurait pu être pâtissière. Moi, c'est le foie gras.

— Ro lo lo, fit Mathieu, le foie gras de folie qu'il nous avait fait le Bertrand l'année dernière. Ça, c'est sûr que c'est pas celui que t'achètes à Carrouf.

Bertrand savoura le compliment, et voyant Vincent se retrancher dans une humeur morose, lui dit :

— Si tu veux, je t'en donne une conserve pour Cindy. Ça peut pas faire du mal, le foie gras. Elle aime ça au moins ?

— Elle adore ça, dit Vincent.

— Moi, je peux demander à ma femme du chili con carne, fit Philippe. Attends voir.

Philippe prit son téléphone et composa le numéro de sa femme avec ses gros doigts au parfum de comté. Il lui demanda s'il restait du chili con carne congelé – mais quand elle sut que c'était pour Vincent et Cindy, elle proposa d'en faire spécialement pour eux. Puis Mathieu proposa les fromages de chèvre de son oncle et un bocal de confiture de mûres de sa grand-mère. S'ajoutèrent à la liste sur le petit calepin les gâteaux de la femme de Bertrand et les rillettes de la mère de Philippe, plus le miel d'un voisin, le jus de raisin d'un collègue, les légumes du jardin et d'autres choses encore – le meilleur du meilleur. Vincent offrit de payer mais un chœur à trois voix s'éleva pour dire qu'il n'en était pas question.

Quand ses amis partirent vers 16 heures, Vincent retourna à la future chambre de Cindy pour mettre la deuxième couche. Dehors, la grisaille avait fui et laissé place à des éclats de lumière qui s'échappaient d'entre les nuages. Le soleil regardait la nouvelle peinture et Vincent vit que c'était bien la couleur du tilleul. La teinte était juste comme il faut.

À l'autre bout de la France, un sourire imprévu illumina le visage d'une mère de famille dont aucun des personnages de notre histoire ne connaissait le prénom. En déballant ses cartons, elle avait découvert, emballée comme si elle avait été faite de la plus précieuse des porcelaines, une vache en marrons.

## 7

Presque une semaine avait passé. Un soir, Vincent avait fini le bricolage pour la journée et s'était affalé sur son canapé avec ses listes et le brouillon de son programme. Il avait réussi à remplir quelques journées, des repas ici et là, et deux ou trois soirées, mais c'était laborieux, et Cindy arrivait dans huit jours. Après avoir mordillé son stylo pendant un long moment, il prit le téléphone et appela Jeanne.

— Comment elle va, Cinne ? T'as vu le psy ?

— Le psy, le psy, s'énerva Jeanne, je vais aller en voir un autre parce que celui-là, je sais pas trop s'il sait de quoi il parle. Il dit que c'est pas un suicide, qu'au contraire, elle s'est coupée pour aller mieux. C'est un moyen d'exprimer des émotions. Enfin, y a six points de suture au poignet, pour aller mieux, bonjour. Et il était pas là quand elle hurlait qu'elle en avait marre de la vie. J'ai fait ni une ni deux, j'ai pris un rendez-vous avec un autre psy. Ça coûte rien d'avoir un deuxième avis. On doit y aller la semaine prochaine.

— Elle fait quoi, là ?

— Elle est dans sa chambre, à écouter ses trucs coréens. Vivement qu'elle aille à la campagne. C'est toujours bon pour samedi prochain, hein ?

— Oui, oui c'est bon.

— Tant mieux, il faut vraiment qu'elle sorte. Ici il fait un temps splendide et elle est enfermée dans sa chambre.

Jeanne écourta la conversation. Bon. Elle venait toujours. Mais Vincent restait seul avec cette satanée liste. Qu'est-ce que Cindy pouvait-elle bien aimer ? Il aurait bien voulu, comme dans *Star Trek*, se téléporter dans sa chambre. Cependant, même quand il était chez Jeanne, il ne le pouvait pas. C'était la chambre de Cindy, on n'y rentrait pas. Et ce n'était pas comme si elle se baladait avec la liste de ses hobbies placardée sur son tee-shirt. À moins que… *Facebook* !!!

Bien entendu, elle avait une page Facebook, et forcément, elle y aurait indiqué ses goûts. Il se précipita sur son ordinateur. Il n'avait pas de profil sur le site, alors il dut s'enregistrer, ce qui lui prit une bonne demi-heure. Puis il se familiarisa avec la navigation et les fonctionnalités, et enfin chercha la page de Cindy. Pas de Cindy Girard. Mais il la trouva enfin, sous le nom de Cindy Kpop. Vincent ignorait beaucoup de choses de la vie de sa fille, mais savait au moins que Kpop était le diminutif de *Korean Pop*, la musique pour ados des groupes venant de Corée du Sud et que Cindy idolâtrait. Pour connaître les goûts de Cindy Kpop, il fallait être son ami. Hélas, il n'était que son père.

Il cliqua sur tout ce qui était cliquable mais Cindy Kpop ne révélait pas ses secrets. Il était sur le point d'abandonner quand il découvrit sur sa liste d'amis, parmi tous ces noms dont il n'avait jamais entendu parler, Michaël Girard, fils de son cousin et arrière-petit-fils de Renée. Sa dernière rencontre avec lui datait de plusieurs années, mais il savait par sa grand-mère que Michaël était devenu un gamin de dix-neuf ans sérieux et sympathique, qui faisait maths sup à Paris.

Plusieurs coups de fil plus tard, il appelait le portable de Michaël, qui n'était pas peu étonné de recevoir un appel du déménageur de la famille. Après les introductions de rigueur, Vincent passa aux choses sérieuses.

— J'imagine que t'as pas de bagnole ? demanda-t-il.

— Nan, j'économise.

— Bon, ben, je te prête ma voiture pour un week-end si tu me rends un service.

— J'écoute.

— T'es copain avec ma fille sur Facebook, pas vrai ?

— Oh la la ! je te vois venir. Je t'avertis, je ne fais pas dans la délation.

— T'énerve pas, je veux pas l'espionner, je veux juste connaître ses hobbies, la musique qu'elle écoute, les films qu'elle aime, et tout.

— O.K., mais pour la semaine entière, rétorqua Michael.

— T'es dur en affaires, mais va pour la semaine.

Michaël énonça alors toute une liste de groupes coréens et de chanteurs divers, des films, des livres, des magazines – et Vincent qui notait frénétiquement dans son calepin soupirait à chaque nouveau nom car rien ne lui était familier. Au bout de douze clics et de deux pages de notes, Michaël dit enfin :

— Je veux pas dire, mais ça aurait pas été plus simple de lui demander directement ?

— C'est quand la dernière fois que t'as parlé zique avec ton père ? fit Vincent.

— Touché. Mais bon, s'il me le demandait, je vois pas pourquoi je lui dirais pas.

— Fais-moi confiance, il vaut mieux laisser Cindy tranquille en ce moment. Ça va pas fort.

— Ça m'étonne pas.

— Ah bon, pourquoi ? demanda Vincent, soudain tendu.

— Deux.

— Quoi ?

— La bagnole, deux semaines.

— T'exagères.

— C'est pas que je veuille exploiter la détresse d'autrui, mais si Cinne découvre que je suis une taupe, elle va me rayer de sa liste, et c'est pas bon pour ma réputation.

— D'accord pour deux semaines.

— Elle a changé son statut de « en couple » à « célibataire », il y a dix jours.

Pour Vincent, ça ne changeait pas grand-chose. Le résultat était le même : du sang dans la baignoire. Il organisa les dates pour le prêt de la voiture, remercia Michael et raccrocha. Muni de son calepin où étaient gribouillés les noms des idoles de Cindy, il commença à faire les recherches appropriées. À trois heures du matin, lorsqu'il retourna enfin se coucher, il était incollable sur le phénomène de la Kpop sud-coréenne.

Dans le noir, il voyait défiler ces enfants aux yeux bridés, habillés comme des poupées Mattel, qui se dandinaient pour un peu de gloire et de dollars. Ils parlaient de *love* et de *dream* et Vincent se demandait s'ils en avaient vraiment eu, ces gamins, de la *love* et du *dream* quand l'âge des auditions était de dix ans et qu'à vingt et un ans on était un *has been*. Mais finalement, il s'endormit en se disant que c'était bien la preuve qu'il n'était qu'un vieux con et qu'il ne comprenait rien aux jeunes.

84

À côté de lui, le petit calepin se remplissait petit à petit.

8

On était jeudi soir. Cindy devait arriver par le train de 12 h 17 samedi matin. Son lit était fait depuis la veille. Son père avait posé *L'Alchimiste* sur la table de chevet, puis le magazine de *boys band* coréen qu'il avait eu un mal fou à trouver. Il avait retrouvé cette photo de lui et Cindy, alors qu'elle avait douze ans, sur une plage bretonne, et il l'avait mise dans un petit cadre. Il aimait bien cette photo parce qu'ils riaient ensemble. Elle, c'était la plus belle bien sûr, mais il se trouvait bien aussi, lui, torse nu, il était moins vieux alors. Il déposa le petit cadre sur la table de chevet. Puis l'enleva puis le remit puis l'enleva et finalement le mit sur sa table de chevet à lui.

Le gâteau aux pruneaux trônait dans la cuisine, encore chaud. Au supermarché, on l'avait regardé bizarre parce qu'il avait acheté douze paquets de pruneaux, juste au cas où. Il avait lu la recette plusieurs fois, il avait même appelé Renée pour quelques clarifications. Il avait suivi toutes les instructions à la lettre. Et au premier essai, en ouvrant la porte du four, Vincent avait eu un choc terrible : le gâteau était là devant lui, bombant son torse doré, avec comme un air de réussi. Le déménageur s'en était coupé une petite part : il était très bien dedans aussi. Ce gâteau aux pruneaux dans sa grande paluche de mec, c'était improbable et merveilleux à la fois, et Vincent eut soudain envie d'appe-

85

ler tout le monde histoire de partager le triomphe mais s'était finalement ravisé et n'avait appelé que Patricia. Elle était passée le soir, avait goûté, fait « mmu mmu » avec la bouche pleine et Vincent avait dit : « Je sais, c'est un peu étouffe-chrétien, mais c'est exactement comme ça qu'elle les faisait, Renée. »

Patricia avait également sifflé d'admiration devant son intérieur : le week-end précédent, il avait fait un temps magnifique et les quatre amis avaient redoublé de détermination pour finir les travaux. La maison était métamorphosée et toutes les pièces, particulièrement la nouvelle chambre, attendaient Cindy.

Et enfin, le programme était fait. Il en avait fallu, des ratures et des doutes, des désillusions et des îles désertes, pour en arriver là. Vincent avait insisté pour que Patricia l'écoute énumérer les jolies choses de son calepin, égrener les jours de vacances qui comptent double et les échappées belles fait maison. Elle avait hoché la tête, fait « ah très bien » et beaucoup ri. Elle avait été visiblement impressionnée et avait déclaré que le programme de Vincent redonnerait du cœur à n'importe qui. Et pourtant, alors qu'il la raccompagnait à sa voiture, Vincent avait saisi au vol sur le visage de son amie un sourire un peu mélancolique, le genre inattendu qui vous dit qu'on a loupé quelque chose quand on pensait avoir tout juste.

Quand la lumière des phares eut disparu de sa fenêtre, il ne restait plus de cette belle soirée, du gâteau et des compliments que le souvenir de ce sourire triste. Et pour la énième fois, Vincent s'en voulut d'être autant touché par ce détail pourtant sans importance et fit une dernière rature sur le programme des vacances. Ça tombait bien, c'était une ligne qu'il avait tue à son invitée ce soir, c'était la rencontre qu'il avait imaginée entre Cindy et Patricia. Il se sentit ridicule de cette infatuation secrète. Car oui, il le savait depuis longtemps bien sûr, il était amoureux, et pire, amoureux pour rien. Alors, parce qu'il était un homme qui réglait les problèmes, il prit un carton qui traînait : il y plaça toutes ces choses prêtées, offertes ou inspirées par Patricia. Un C.D. de Cesaria Evora, un vase avec des fleurs en tissu très réalistes, un moule à gâteaux, un verre de bière de Bruxelles, une belle chemise rose pour homme Ralph Lauren, du basilic en pot, les tickets pour le cinéma, trois catalogues de voyages, une bougie parfumée à la cannelle et même *L'Alchimiste*. Il mit le carton dans la remise et fila à la douche.

Une demi-heure plus tard, le déménageur se peignait en se regardant dans le miroir enfin fixé, dans cette belle salle de bains au carrelage étincelant. Il avait dompté ses espoirs, ses peurs, ses attentes. Il s'était préparé à des sacrifices. Il avait prévu des alternatives selon la météo, des plans B selon les envies de sa fille. Il avait prévu qu'elle refuse de sortir de sa chambre. Il avait prévu qu'elle lui fasse la tête pendant deux semaines. Il avait prévu qu'elle lui fasse des crises ou une fugue. Il avait même prévu le pire : une autre tentative. (Il ne l'avait révélé à personne, mais il avait bricolé la porte de sa chambre et celle de la salle de bains pour parer à cette éventualité.) Bref, il avait tout prévu et il était prêt.

Naturellement, ce qui arriva, il ne l'avait pas prévu.

Quand Vincent retourna dans le salon, nu sous sa serviette humide, il vit qu'il avait un message sur son portable.

C'était Jeanne. Elle revenait de chez le nouveau psy, qui avait vu Cindy. Le docteur leur avait dit que même s'il ne pensait pas que c'était véritablement suicidaire, il y avait urgence à la soigner. Pour se reconstruire, c'était vital qu'elle reste dans son environnement, qu'elle apprenne à accepter son quotidien. L'envoyer chez son père maintenant, dans un décor étranger, était vivement déconseillé : soit elle déprimerait davantage et on ne pouvait pas risquer une rechute, soit effectivement le séjour lui ferait du bien provisoirement, mais cela constituerait une fuite ; le choc de revenir à sa réalité pourrait la précipiter. Cindy était soulagée, avait-elle répondu, parce que là où elle se sentait le mieux, c'était dans sa chambre. « Ce n'est pas qu'elle ne veut pas te voir, avait insisté Jeanne. C'est juste qu'elle préfère être dans sa chambre avec toutes ses affaires, ses machins coréens et tout. » Son ex-femme lui proposait quelques jours fin août à la place, à condition qu'elle aille mieux bien sûr, enfin on verrait. Et s'il voulait la voir, il était le bienvenu ce week-end. Elle finissait en s'excusant vaguement, mais la visite chez ce psy l'avait beaucoup rassurée et elle ne voulait pas risquer d'aller contre ses conseils. Bisous.

Vincent balança son téléphone sur le canapé. Pendant plusieurs longues minutes, il était tellement furieux que seuls les jurons semblaient pouvoir l'apaiser. Finalement, il s'affala sur le canapé, mit la tête dans les mains et trouva le courage de le dire tout haut : Cindy ne viendrait pas.

Qui était-il pour s'opposer à l'avis d'un docteur ? C'était un professionnel, il savait ce qui était bénéfique à une jeune fille suicidaire. Et pourtant, il avait beau se le répéter, ça ne collait pas. Comme un corps refuse une greffe de tissu étranger, Vincent tout entier rejetait cette décision prise par un autre. Il voulait être avec Cindy. C'était une question de vie ou de mort, il ne savait pas trop si c'était la sienne ou celle de sa fille, mais il avait découvert comment il pouvait être son père et il en était fier. Il avait vu comment on fait ces jours qui comptent double et c'était la boîte de Pandore qui ne voulait pas se refermer. Un week-end par mois, tout d'un coup, c'était ridicule.

Malgré le froid qui s'était installé dans sa serviette humide, il resta à moitié nu à se battre contre ce coup du sort jusque tard dans la nuit. Le salon était devenu une arène imaginaire et, animé par des émotions volubiles, il allait et venait en demi-cercle autour de sa table basse. Soudain, son regard fut happé par un des livres sur la table et son grand corps s'arrêta. Puis le brouhaha de sa tête cessa et il vit clair.

Avant de foncer dans sa chambre où se trouvait son ordinateur, il vit autre chose qui arriva comme une gifle : il avait mis si peu d'objets à Patricia dans la remise. Et pourtant, pouf, en un coup de carton, la maison de Vincent Girard n'avait plus l'air d'une maison heureuse.

Michaël n'en revenait pas de ce qui lui était tombé sur le nez. C'était le premier jour des vacances d'été et il roulait dans la Megane décapotable de Vincent. Demain, il passerait prendre trois potes pour deux semaines de *road trip*, de camping et de surf à Biarritz. Le truc inespéré. Mais avant, il devait rendre au propriétaire de ce petit bijou de confort bourgeois un dernier service : sortir la cousine Cindy au cinoche à Odéon, à la première séance de l'après-midi. Il fallait se farcir une comédie romantique américaine doublée en français, mais les vacances excellentes à venir valaient bien ce sacrifice.

Si Michaël avait bien compris (mais avec les plans compliqués des parents divorcés, on n'était jamais sûr de bien comprendre), Vincent venait passer le weekend avec Cindy à Paris et il avait insisté pour être seul avec sa fille. Jeanne ne demandait que ça et avait filé chez ses amis en Bretagne. Cindy avait accepté avec joie l'invitation impromptue de Michaël, ignorant bien entendu que celle-ci avait été « achetée » par son père. Mais quoi qu'il en soit, il était là, dans le noir, à côté de sa cousine qu'il n'avait pas vu depuis au moins trois ans.

Michaël avait un peu du mal à se concentrer sur le film parce que finalement Cindy était beaucoup plus belle que ce qu'il avait prévu dans sa tête. Elle avait cet air tragique des héroïnes des films coréens. Un côté elfin, avec en plus le regard de quelqu'un qui a grandi un peu vite : le 6 de ses 16 ans ressemblait davantage à un 9. Elle portait des manches longues que ses doigts délicats tiraient sans cesse pour couvrir ses poignets. Alors pendant que des starlettes américaines minaudaient en Dolby Stéréo, Michaël s'emmêlait le cerveau avec des arbres généalogiques, histoire de voir si, dans l'éventualité où il embrasserait Cindy, il se retrouverait au bagne pour relation consanguine.

Ce qu'il ignorait, c'est que Cindy faisait les mêmes calculs, mais en moins scientifique et infiniment plus romanesque. Le thème de l'amour impossible est aussi irrésistible qu'inépuisable chez toutes les demoiselles, surtout celles avec les cheveux teints en rouge. Finalement, ils se contentèrent tous deux de rêveries.

Après le film, Michaël raccompagna Cinne dans l'appartement de sa mère, qui était déjà partie. C'est drôle, se dit-il, son père devrait déjà être là. Il attendit dans la cuisine et se remit à ses probabilités génético-généalogiques quand soudain il entendit un cri. Il galopa jusqu'au bout du couloir et vit Cinne au milieu d'une chambre complètement vide : au vu de l'inscription sur la porte, c'était la sienne. La tapisserie maculée de bouts de gomme à coller trahissait l'absence des posters qu'on avait décollés et les moutons de poussière près des plinthes des meubles qu'on avait enlevés. Mis à part quelques crayons par terre, il n'y avait dans la pièce en tout et pour tout qu'un grand Tupperware, seul au milieu de la moquette. Et dans la main tremblante de Cindy, une note écrite à la main : *Pas de panique ! Va voir en bas. Emporte la boîte !*

Cindy dévala les escaliers et se précipita dans la rue, Michaël à ses trousses. En face de l'immeuble attendait un camion Guibert Déménagement. Devant se tenait

Vincent. La jeune fille s'approcha et alors qu'elle allait parler, son père ouvrit les portes du camion. À l'intérieur, sa chambre était reconstituée dans son intégralité. Ses posters aux murs, les bibelots sur son dressing, sa garde-robe dans la penderie. Cindy grimpa dans le camion et avant qu'elle ne puisse demander quoi que ce soit, son père la regarda et lui dit :

— Je t'emmène en Corée du Sud, et t'auras même pas besoin de quitter ta chambre.

— En Corée ?

— En Corée, la vraie de vraie.

— Mais la Corée, c'est à… 8 000 bornes ?

— 9 000.

Les yeux de Cindy devinrent soudain aussi grands que les roues du camion.

Michaël comprit que c'était le moment de s'éclipser. Il passa devant un café, où trois gars en terrasse regardaient la scène : un bedonnant avec des lunettes rouges, un grand tatoué et un petit jeune avec la casquette de rappeur et la larme à l'œil.

Quelques jours plus tard, quand Patricia revint de la pharmacie, elle trouva une fleur qui sortait de sa boîte aux lettres. Un dahlia violet. Sa tige était enrubannée dans du papier d'alu et lorsqu'elle l'ouvrit, elle trouva du Sopalin imprimé de fourchettes orange, imbibé d'eau pour garder la tige au frais, puis un petit papier où il y avait écrit « *Le Pont de Madison Country* ». Mais pas de carte. Le lendemain, c'est un iris qui l'accueillit à la sortie du travail, avec « la crème de marrons ». Le surlendemain, trois marguerites et « le petit déjeuner au lit ». Le sursurlendemain, une rose jaune et « l'arrière-saison en Normandie ». Avec les fleurs, c'était sa liste, son île déserte, ses choses qui comptent double dont un amoureux se souvenait pour elle.

Au début, elle trouva l'attention tendre. Mais les fleurs continuèrent à arriver, encore et encore, et cet envoi journalier creusa un grand espace dans son cœur. Le samedi d'après, elle prit la clef sous le géranium de la fenêtre de Renée. Elle la trouva en grande conversation avec Mathieu, qui enroulait les tiges dans le papier d'alu et les posait dans un panier en osier. Renée gloussait et disait à Mathieu dont le jean descendait sur le caleçon : « Remonte donc ta culotte. » Patricia fit demi-tour à pas feutrés et ferma la porte sans un bruit. Plus tard, ses clients lui firent la remarque qu'elle était resplendissante.

Mais ce serait bien plus tard. Pour l'instant, Cindy explorait sa nouvelle chambre dans le camion de son père. Elle ouvrit le Tupperware et trouva son gâteau aux pruneaux.

— Comment tu as trouvé les sous ?
— Mamie a gagné au loto.
— Combien elle a gagné ?
— Vingt-cinq euros.
— Non.
— Si.
— T'es fou, fit-elle en riant, et ce sourire battait à lui tout seul tout ce qu'il y avait sur toutes les listes du monde. Alors elle monta dans sa « chambre », et Vincent fit mine de fermer les portes. Mais avant qu'il la ferme, elle sortit sa petite main aux ongles rongés qui semblait si petite dans ce grand camion, et lui dit :

93

— Pour de vrai ?

— Pour de vrai. T'as pas oublié que ton père est un globe-trotter ? C'est vrai que ça fait longtemps, mais les voyages, c'est comme le vélo.

— Attends, dit-elle en sautant du camion.

Et elle alla s'installer sur le siège passager, avec le gâteau aux pruneaux.

— Je vais pas le manger toute seule quand même.

— Surtout qu'en entrée, il y a du monde.

Et il lui passa la glacière qui renfermait le meilleur du Berry. Le déménageur et sa fille se regardèrent et leurs yeux brillèrent. Ça, ça comptait triple.

Vincent démarra, mais son cœur était déjà sur la route.

— À nous la Corée !

Et ils commencèrent par la porte de Pantin.

# Table

« Pour l'éditeur, le principe est d'utiliser des papiers composés de fibres naturelles, renouvelables, recyclables et fabriquées à partir de bois issus de forêts qui adoptent un système d'aménagement durable. En outre, l'éditeur attend de ses fournisseurs de papier qu'ils s'inscrivent dans une démarche de certification environnementale reconnue. »

Édité par la Librairie Générale Française - LPJ
(58 rue Jean Bleuzen, 92178 Vanves Cedex)

*Composition Datagraphix*
Achevé d'imprimer en Espagne par CPI
Dépôt légal 1ʳᵉ publication avril 2012
32.3287.3/08 - ISBN : 978-2-01-323287-6
*Loi n° 49-956 du 16 juillet 1949 sur les publications destinées à la jeunesse*
*Dépôt légal : août 2016*